プロ作家・
脚本家たちが
使っている

シナリオ・センター式

物語のつくり方

SCENARIO・
CENTER STYLE
HOW TO CREATE
A STORY

新井一樹 著

日本実業出版社

はじめに ――あなたのための創作講座が、始まります――

脚本や小説を書こうとして、一番困ることは何ですか？

いいアイデアが、なかなか浮かばない。
コンクールに挑戦しても、思うような結果が出ない。
最後まで書けるけど、いまいち面白くない。
アイデアは思いつくのに、エンドマークまで書けない。
書きたい気持ちはあるのに、何から始めていいかわからない。

創作をしていれば、誰にでも悩みはあります。私が働いているシナリオ・センターからは、第一線で活躍する脚本家や小説家が、７００名以上も誕生しています。ですが、創作に対して悩みのない方は、一人もいません。
プロでも悩むのです。あなたが悩んでしまうのは、当然です。

そこでこれから、シナリオ・センター式の物語のつくり方をお伝えします。あなたの頭の中に「創作の地図」をつくる創作講座です。創作の地図があれば、エンドマークという目的地まで、何を考えればいいのか、どう書けば面白くなるのかわかります。

あなたも、プロのように「正しく悩む」ことができるようになります。

あなたにぴったりな創作講座

さっそく創作講座を始めましょう！

本書を手に取った方の中で、日頃から創作をされている方はいますか？　手を挙げてみてください。けっこう、いますね。私には見えます。講座ですから、みなさんの姿を思い浮かべながら進めていきます。

すでに創作を始めている方は、「もっとうまく書けるようになりたい」という表情をされていますね。コンクールに挑戦するたびに、ご自分の名前を探しても見当たらず、落ち込んでしまうこともあったでしょうか。

ぜひ、この講座を受けてください。創作の地図が手に入れば、あなたが、どこでつまずいているのかがわかります。コンクールでも、いい結果が出ます。

「物語を書いていたけど、しばらく遠ざかっていた」という方もいらっしゃるようです。物語の構想を練って、書き始めてみるけれど、筆が進まない。そんな方こそ、騙されたと思ってついてきてください。あなたに才能が足りないのではなく、これまでのやり方が間違っていただけだとわかります。

「創作は未経験だ」という方はどうでしょう。やはり、いらっしゃいますね。物語をつくりたいと思っても、どこから手をつけていいのか、わからないものです。ドラマを観ては、もっとこうすれば面白いのに、と考えてみたり、思いついたアイデアをメモアプリなどに打ち込んではみるけれど、そこまで、という感じでしょうか。

そんな方でも、物語を書き上げることができます。安心して、ご参加ください。あなたのアイデアから、誰かの心に残る物語が生まれます。

シナリオ・センター　新井一樹

目次

プロ作家・脚本家たちが使っている
シナリオ・センター式　物語のつくり方

第1章 物語の姿を知ろう

第2章 物語の設定のつくり方

第3章 登場人物のつくり方

第4章 物語の構成の立て方

第5章 シーンの描き方

第6章　物語の活かし方

イラスト　篠崎理一郎
カバーデザイン　沢田幸平（happeace）
本文デザイン・DTP　初見弘一
著者エージェント　アップルシード・エージェンシー

序　章

創作の地図を手に入れよう

Section

1

創作は「何を書くか」×「どう書くか」

「何を書くか」はあなた自身の中にある

本書の目的は、書けないから書けるへ、いまひとつの評価から満足のいく評価へと、みなさんの変化をお手伝いすることです。

では、どうやってお手伝いするのか、を説明する前に整理しておきたいことがあります。それは、物語のつくり方は「何を書くか」と「どう書くか」という、2つの要素からできているということです。どちらかが欠けてしまっては、うまくつくれません。片輪でもパンクをしたら、自転車が進まないのと同じです。

「何を書くか」というのは、作家であるみなさんの内側にあります。

「書く」というのは、コミュニケーション手段の1つです。あなたが日々暮らす中で、あなた自身について、人生や社会について、そしてこの世界について感じたことを、誰かに伝えたいからこそ、物語を書くわけです。

「何を書くか」は、あなただけが持つ、あなたの「作家の眼」が決めていくことです。誰にも教えることはできません。誰かに教わろうとしてもいけません。あなた自身が磨くべき、大切なものです。

「どう書くか」は表現技術

「どう書くか」というのは、物語をつくるための表現技術を意味します。

「え？　物語をつくるための技術なんてあるの？」と思うかもしれません。スポーツであれば、ボールの打ち方や投げ方に技術があることはイメージできます。それに比べて創作は、頭ひとつでできるため、技術のイメージがしにくいようです。ですが、イメージがしにくいだけで、事実、表現技術はあるのです。技術なので「どう書けばあなたの作品がもっともっと面白くなるのか」、お伝えすることができます。しかも技術は、誰にでも身につきます。

本書では、物語を「どう書くか」という表現技術を、わかりやすくお伝えします。

それが、シナリオ・センター式の創作のお手伝いです。

面白い物語をエンドマークまで書ききるために、あなたの作家の腕に、表現技術をつけていきましょう！

「どう書くか」が、あなたの書きたい世界を広げてくれる

> 「何を書くか」×「どう書くか」＝面白い物語

このとっても簡単な公式を、頭に叩き込んでください。そこからスタートです。あなたの机の前の一番目立つところに貼ってもいいくらいです。なぜなら、多くの方が「どう書くか」という技術を、ここまで言っても軽視するからです。

物語をつくるという行為が、センスや感性だという思い込みがあるからでしょうか。もちろん、センスや感性は必要です。ですが、表現技術は、あなたのセンスを発揮するためにも必要なのです。技術が中途半端なまま創作に向かうから、結果が出ないのです。

創作の技術なんて身につけたら、人と同じものしか書けなくなると思って、手を出さない方もいます。大きな間違いです。公式を思い出してください。「何を書くか」に「どう書くか」が掛け算となって、初めて物語は成立します。

もしも、ありふれた作品しか書けないとしたら、それは、技術と作家性の両方が足りないのです。技術だけのせいではありません。

ちなみに、作家性は、技術力がつけばつくほど伸びます。表現力がつけば、表現の幅と深さのレベルが変わるからです。技術の向上によって、作家として見えてくる景色も、描ける世界も変わります。

感覚に頼って書き続けていたら、人の心に残る物語を、コンスタントに生み出すことはできません。

「どう書くか」という技術が、あなたの創作の領域を広げてくれます。

Section
2
創作術とは人間を描くためのもの

「シナリオ・センター式」とは

「表現技術が大切なことは、わかった。だったら、その技術の質はどうなんだ?」と思っていることでしょう。私がみなさんの立場だったら、気になります。

本書でお伝えする「どう書くか」という表現技術は、ずばり、シナリオ・センター式です。「いや、シナリオ・センター式と言われても、シナリオ・センターなんて知らないよ」という声が聞こえてきます。

シナリオ・センターは、1970年に優秀な脚本家やプロデューサー、監督や小説家を養成することを目的に、新井《あらい》一《はじめ》によって創設された脚本家の養成学校です。第一線で活躍する脚本家や小説家は、700名を超えています。連続ドラマの約7割を、シナリオ・センター出身の脚本家が執筆。直木賞作家やミリオンセラーの小説家、映画監督も輩出しています。控えめに言っても、すごい実績です。日本にこんな学校は他にありません。世界でも稀でしょうか。

なぜ、そんなことができるかというと、シナリオ・センターには、「シナリオの基礎技術」という確固たる創作メソッドと、受講生のみなさんの腕に表現技術をつけるためのカリキュラムがあるからです。

では、どこからそんな創作メソッドが生まれたのか。それは、シナリオ・センターを創設した新井一からです。新井一は、東宝のドル箱シリーズと言われた『喜劇駅前シリーズ』ほか300本の映画脚本を執筆。その他にも、ラジオ、テレビを含めると2000本以上のドラマ脚本を執筆した脚本家でした。さらに、映画会社の企画部長として、新人脚本家の育成も担っていました。つまり、新井一の脚本家としての経験と、新人脚本家を育成した実践を体系化させたのが、「シナリオの基礎技術」です。

シナリオ・センター式なら、いま現在活躍しているプロの作家と同じ表現技術を、誰でも身につけることができます。

私はみなさんに、それをお渡ししたいのです。

創作する頭を整理する

さらにシナリオ・センターでは、「シナリオの基礎技術」に、古今東西の創作術も掛け合わせて、映画やテレビドラマの制作会社、ゲーム制作会社などのプロデューサーやディレクターの方に向けた研修もしています。面白い作品をつくるために、どこをポイントに分析すればいいのかについても体系化しています。

プロの現場仕様で、あなたの創作する頭を整理します。これもシナリオ・センター式です。

ハードルを上げすぎでしょうか。何だか、すごい創作講座です。

とはいえ、本書を手に取ってくださった方の中には、「シナリオが書きたいわけじゃない」「脚本家になりたいわけじゃない」という方もいることでしょう。そんな方にも、この創作講座はおすすめです。なぜなら、物語をつくる目的は、人間を描くため、だからです。

映画やテレビドラマ、演劇や小説、マンガ、アニメ、ゲームに自分史やエッセイに至るまで、創作のジャンルは異なっても、目的は同じ。人間を描くことです。表現技術とは、人間を描くためにあるのです。表現技術を身につけさえすれば、あなたはシナリオ・センター出身の作家の方々と同じように、様々なジャンルで活躍することができます。

本書で紹介する創作術は、あなたの物語づくりに、必ず役立ちます。

小説や戯曲もそうですが、シナリオでも当然、最終的には人物を描くことなのです。四千年の昔から演劇はあり、何千何万という作品がある訳ですが、汲めども尽きないのは人間性の追求です。

新井一『シナリオの技術』(ダヴィッド社)

創作は、想像力のスイッチ

「この創作講座に興味は出てきたが、お前は誰だ?」という、みなさんの問いにもお答えします。

私は、先ほど紹介した新井一の孫です。シナリオ・センターを、受講生のみなさんにとって、よりよい創作支援の場にするために働いています。講師と相談しながら、カリキュラムを改善したり、講座を開発したりします。シナリオ・センターの講師の育成もします。

加えて、プロデューサーやディレクターの方に向けた研修プログラムの提案から開発、必要に応じて講師もします。企業名を言ったら、「え？　そんな有名企業で？」と、驚くかもしれません。

私自身は、脚本家でも、小説家でもありません。私の役目は、プロの方々が日々実践している表現技術を、みなさんに余すところなくお渡しすることです。言うなれば、料理人ではなく、めちゃくちゃよく切れる包丁を紹介するカリスマバイヤーです。私にカリスマ性はありませんが、ご覧いただくのは、切れ味鋭い創作術というわけです。

あなたをエンドマークまで連れていきます

さて、本書の使い方です。

まず使用上のお願いです。本書に載っている技術について、知っているかどうかに重きを置かないでください。表現技術は、使えるかどうかに意味があります。

初心者の方は、全編読んでください。頭の中に、創作の地図ができあがります。

経験者の方は、次ページからの「『創作の地図』を持っていないと起きる7つの問題」と、第1章は最低でも読んでください。あなたが抱えている問題と、解決策がどこにあるのか、掴めます。あなたの創作がはかどる手掛かりが、絶対にあります。

そして、本書が役に立ちそうだと思ったならば、常に手の届くところに置いて、困ったときに拾い読みをしてください。

本書が、あなたとあなたの作品を、エンドマークまで導きます。いつか、あなたの作品を受け取るファンの一人として、みなさんの創作を応援させてください。

さぁ、さっそく「創作の地図」を手に入れましょう。すべては、そこから始まります！

Section 3

「創作の地図」を持っていないと起きる7つの問題

「面白くない」原因を整理する

創作に取りかかる前に、作品が「面白くない」原因を掴みましょう。あらかじめ原因がわかっていれば、創作に取り組む際に、あなたは注意できるはずです。言うなれば、創作前の予防接種です。

原因❶ アイデア倒れになっている

アイデアは面白いのに、という作品はたくさんあります。アイデアのよさを、物語全体に活かしきれていないパターンです。

アイデア倒れになってしまう作品は、設定の魅力とシーンの魅力が釣り合っていないか、設定にアイデアを盛り込みすぎて、物語の軸がぼやけているかのいずれかです。

アイデアの出し方、そして物語の設定のつくり方については、第2章で詳しく説明します。世界観を練りすぎてしまう人も、世界観が思いつかない人も、手を休めずについてきてください。

原因❷ 登場人物のキャラクターがブレている

登場人物のキャラクターがブレてしまう、いわゆる「キャラブレ」の状態です。キャラブレが起きると、「こんなこと、言うかな?」「こんなこと、するかな?」と観客・読者の気持ちは、作品からスッと離れていきます。

これは、登場人物のキャラクターの設定に原因があります。第3章に解決策を載せてあります。苦手な方は、一緒に克服していきましょう。

原因❸ 主人公のアクション・リアクションがありきたり

どんなに設定が面白くても、主人公の言動がありきたりでは、やはり面白くありません。アクション・リアクションは、ドラマの最小単位であり、観客・読者が目にする部分です。ここが面白くないと、「ありがちな話だな」と思われてしまいます。

主人公のアクション・リアクションがありきたりになるのは、登場人物のキャラクターとシーンの描写力が不足しているためです。先に挙げた登場人物のキャラクターのイメージがぼんやりしていること、登場人物の言動を、映像的にイメージできていないことが原因です。何気ないセリフや行動にも、主人公らしさが出るようにしていきましょう。

第3章でお伝えする登場人物のつくり方と、第5章でお伝えするシーンの描き方を参照してください。

原因❹ 主人公が目的に向かっていない

主人公が目的に向かっていない、もしくは、主人公の目的がよくわからないと、観客・読者は物語に入り込めません。構成に大きな問題があります。

主人公が目的を持つからこそ、そこに向かって行動が生まれます。そして、行動することで、障害に出くわします。主人公の目的が明確でない場合、観客・読者は「この物語は、どこに向かっていくのか？」とモヤモヤし始めます。主人公の目的は、物語を進める上でも、観客・読者を惹きつける上でも、大切です。

この問題は、第3章でお伝えする登場人物のキャラクターの設定と、第4章でお伝えする構成の立て方によって解決できます。

原因5 主人公が困っていない

主人公が困っていないというのも、面白くない原因になります。

ドラマとは、葛藤、対立、相克《そうこく》であると、新井一は言っています。言い回しは異なっていても、古今東西の創作の指南書には、同じようなことが書かれています。

主人公が障害を前に葛藤する姿を見て、観客・読者は感情移入をします。感情移入というのは、ちょっと難しい言葉ですが、「どうなるのだろうか」「どうするのだろうか」と、主人公の行動が気になっている状態です。

映画やテレビドラマであれば、手に汗を握るでしょうし、小説やマンガであれば、ページをめくる手が止まらない、といった感じです。

主人公が困らない原因としては、ストーリーの展開に気を取られて、ドラマが描けていないこと、シーンにおける主人公の欲望と目的が、作者の中で不明確なため、主人公が困る状況をつくれていないことが挙げられます。

主人公が困っているかどうかは、あなたの作品が面白いかどうかの基準になります。第4章の構成の立て方と、第5章のシーンの描き方を参照してください。

原因⑥ 起きる問題が単調もしくは極端

作者は、主人公に様々な障害をぶつけます。その障害に対する主人公のアクション・リアクションを、観客・読者はハラハラドキドキしながら、追いかけるわけです。となると、どう障害をぶつけるのかは大切な部分です。

面白くない物語になってしまう障害のぶつけ方は、2つあります。

1つ目は、障害が単調なパターンです。単調というのは、1つ目の障害と、2つ目、3つ目の障害が同じくらいだということです。財布をなくして、携帯をなくして、カバンを忘れて……といった感じで、同じようなレベルの障害が起きます。主人公のアクション・リアクションもさほど変わらないので、観客・読者は飽きてしまいます。

2つ目は、主人公を困らせようと、極端な障害ばかりをぶつけてしまうパターンです。火事が起きて、台風がやってきて、病気が発覚して、というような感じです。たしかに、主人公は困るでしょうが、これらは誰でも困ることです。こういった物語を、「水っぽい」と言います。

天変地異を出してはいけない、ということではありません。観客・読者をエンドマークまで引っ張っていく最高のアイデアを考えたいのです。

解決策は、第4章でお伝えします。構成が苦手な方は参考にしてください。

原因7 クライマックスで盛り上がらない

物語の一番の見せ場となるのが、クライマックスです。ロマンチックなシーンや、泣けるシーン、怒りに震えるようなシーン、手に汗握るシーン、迫力のあるシーンなど、クライマックスで観客を惹きつけるわけです。物語を「観てよかった」「読んでよかった」「考えさせられるなぁ」という、カタルシスは必須です。

クライマックスが盛り上がらない原因は、2つあります。

1つは、クライマックスに至るまでの構成の問題。もう1つは、クライマックスシーンのアイデアの問題です。クライマックスを盛り上げる方法は第4章で、シーンについては第5章でお伝えします。

面白いか、面白くないか、というのは、個人の感覚でもあります。観客・読者の趣向については、作者側にはどうすることもできません。だからこそ、趣向に左右されない部分を詰めておきたいのです。それが、「どう書くか」という表現技術です。表現技術によって、最低限の面白さは担保できます。あとは、「何を書くか」という、あなたの作家性を掛け合わせるだけです。

7つの面白くない原因をひっくり返せたら、相当面白い物語が書けると思いませんか。いや、事実書けるのです。あとは、やるだけです。

第 1 章

物語の姿を知ろう

Section 1

才能があるのか、ないのか

才能があるのかないのか問題

さぁ、創作講座のはじまりです。

さっそく、みなさんに1つ聞きたいと思います。みなさんは、ご自分の「才能」について、考えたことがありますか？

創作をしようと思っている、もしくは、創作をしている方なら、誰もが一度は気になってしまう、この「才能」という言葉。

「自分に才能はあるのだろうか……」

「才能がある、と言われたことはあるけれど……」

「あの人みたいに、才能があったらいいのに……」

小説家や脚本家など、プロの作家として活躍している方々には、もちろん、才能を感じます。

才能という言葉は、とても曲者です。才能という言葉を、『大辞泉』で引くと、次のように書いてあります。

物事を巧みになしうる生まれつきの能力。才知の働き。
「音楽の―に恵まれる」「―を伸ばす」「豊かな―がある」
「―教育」

辞書を引くまでもなく、才能というと、生まれ持っての特別な能力という感じがします。そうなると、自分に物語をつくる才能があるのか、漠然と不安になります。いま現在、プロではないのですから、そう思って当然です。「生まれつき」とか、言われるとなおさらです。

創作講座に入る前に、「才能があるのかないのか問題」にけりをつけましょう。

📖 才能のあるなしは、自分で判断できない

そもそも「才能のあるなし」については、悩んでも意味がありません。

創作においては、スポーツのように身体性が左右するわけではない点、数学のような正解が存在しない点から、才能の有無を判断することが難しいのです。

もっと言えば、才能の有無を判断することは、その道について極めていなければできません。なので、道半ばの人が、自分で判断できるものでもありません。

シナリオ・センターは、1970年の創立から、700名以上の第一線で活躍するプロの作家を輩出しています。デビューした作家まで含めれば、その何倍もの人数になります。その中で、受講後すぐに「この人には、すごい才能がある」と新井一などの講師陣を驚かせたのは、たった一人だそうです。

その方は、誰もが知る小説家です。累計発行部数は3億冊を超えているそうです。そのレベルまでいってはじめて、才能の片鱗を感じるものなのです。

つまり、才能とは、それほどわからないものなのです。

才能は誰にでもある

才能について悩んでも意味がない、といっても、やはり才能があるのかないのか、はっきりさせておきたい、という顔が目に浮かびます。なので、ここでけりをつけておきましょう。

みなさんに、才能はあります。面白い物語を書くことが、絶対にできます。

創作における「才能」という言葉の定義をお伝えします。

「才能」とは、他の人には書けない物語を書くことができる能力

唯一無二の物語を書くことができること、ということです。「だから、それが難しいのだろうが！」という顔をこちらに向けていますね。でも、そう思いませんか。他の人には、絶対に書けない物語が書ければいいわけです。

そして、それは、簡単です。なぜなら、あなたがいまから書こうとしている物語は、他の誰にも書けないからです。プロにも書くことはできません。絶対に、です。

私は、シナリオ・センターで「シナリオ・ワークショップ」を担当しています。ワークショップでは、受講希望の方に、シナリオが書けるかどうか、シナリオの技術はどういうものか、技術はどう身につくのかを体験してもらいます。

私は10年間で、4000名近くの方々に、簡単な設定のシナリオを書いてもらいました。その中で、一度として、同じシナリオを読んだことはありません。他にもワークショップを担当する講師がいるので聞いてみても、同じです。初心者の方が書いたシナリオですが、すでに唯一無二です。唯一無二の作品なのです。

つまり、才能は誰にでもあるのです。

では、誰にでも才能が「ある」なら、どこで差がつくのか。

それは、技術です。

才能を活かすも殺すも、物語を書くための表現技術です。技術の差が、作品の魅力の差となるのです。人は言います。「あの人には、才能がある！」と。ですが、「才能がある」を略さずに表現すると、「あの人には、才能を活かすだけの技術がある！」なのです。

才能と技術の関係性

みなさん、机の前に貼った、あの公式を見てください。まだ貼っていない方は、急いで貼ってください。気合を入れて、筆で書いてもいいくらいです。自分への果し状です。

「何を書くか」×「どう書くか」＝面白い物語

「何を書くか」というのが、作家性です。作家性と才能は、ほぼイコールです。誰もが持っています。「どう書くか」が技術です。誰でも、習得することができます。

本書では、「どう書くか」という表現技術についてだけ、お伝えしていきます。あなたの才能を引き出すためです。「何を書くか」については、教えることはできません。あなたの才能が、既製品のようになってしまうからです。

ある小学校でのことです。その日、私は地域の小学校に、キッズシナリオというシナリオの出前授業を行うために伺っていました。

授業の開始まで、時間があったので、何の気なしに廊下の壁に貼ってあった作文を読んでいました。秋に行われた運動会について、5年生が書いたものでした。

最初は「みんな、なかなかうまいなぁ」と思いながら読んでいましたが、途中から違和感が生まれました。リレーを頑張った話、組体操を頑張った話、玉入れを頑張った話などなど、どれもこれも、運動会で何かしらを「頑張った話」なのです。

30名分の頑張った話は、感動的というよりも、ある種の異様さを感じます。雨が降って中止になってほしかった子、運動会の練習が嫌で仕方がなかった子は、一人もいなかったのでしょうか。

私の姪は、運動が大の苦手。運動会は、大っ嫌いです。もしも姪が、この学校に通っていたら、同じように運動会で頑張ったことを作文に書くのでしょうか。「明日、雨になれ！」と、布団の中で願ったことが、本当に頑張ったことだったとしても。

「何を書くか」を教えると、こういうことが起きます。

作文の課題が「運動会で頑張ったこと」だったとしても、「何を書くか」ではなく、

「どう書くか」という表現技術さえ子どもたちに伝えてあげれば、子どもたちの作家性はのびのびと発揮されたはずです。

運動が得意な子は運動会での頑張りを、運動が嫌いな子はその思いを、とくに思い入れのない子は、周りの子たちの様子を書くこともできるのです。

表現技術によって、才能は開花する

作家性を花開かせるのが、技術です。「どう書くか」がわかれば、書きたいことを自由に書けます。自転車の乗り方がうまくなるほど、好きなところに行けるのと同じです。そうやって、「どう書くか」と「何を書くか」は、ともに向上していきます。

「どう書くか」という表現技術が習得できていないだけなのに、才能という言葉で、創作から逃げてはいけません。

あなたにないのは、才能ではなく、才能を活かすだけの技術だからです。そして、くどいようですが、技術は、誰でも身につきます。才能という、本人さえもよくわかっていない言葉のせいで、創作をあきらめたり、ためらったりする方が多いので、ちょっと熱く語ってしまいました。とてももったいないことですから。

ちなみに新井一は、才能についてこう言っています。

> 忍耐というか根気というか努力というか、そういうものを持ち続けていることが、むしろ（才能という言葉を使いたければ）才能なのです。
>
> 新井一『シナリオの基礎技術』（ダヴィッド社）

技術習得の期間は、才能とは関係ない

技術が身につくまで、楽しく続けていけばいいんだよ、ということです。

「だけど、事実、デビューが早い人もいれば、遅い人もいる。自分は、まだデビューの足がかりさえつかめていないんだけど、これは才能の差ではないの？」

なるほど、そういう意見もあります。ですが、それは才能とは無関係です。技術の習得の速度は、人それぞれだからです。自転車でも、すぐに乗れる人もいれば、そうでない人もいます。

創作に関して言えば、それまでに小説をたくさん読んだり、映画やテレビドラマ、演劇などをたくさん観たりしたほうが、習得はいく分、早くなるかもしれません。で

すが、それも誤差の範囲です。洋楽を聴いているから、英語の習得が早くなるわけではないのと同じです。

大切なのは、才能という言葉で、創作から逃げないことです。

露払いは終わりです。さぁ次に進みましょう。

まずはみなさんが誤解してしまっている、あのことについて、触れていきます。この誤解のせいで、創作をあきらめる人もいるくらいです。伸び悩む原因の１つでもあります。

とはいえ、これは創作講座です。次への集中力は大切。ここで、５分休憩にしましょう。

Section 2

ドラマとストーリーを分けて考える

人は無意識にストーリーを考えてしまう

無事、才能問題にけりがついたところで、「どう書くか」について話を進めます。と、言いつつ、ちょっとお待ちください。物語づくりに入る前に、みなさんの中にある、物語についての重大な誤解を解いておきたいのです。口で言ってもわかりにくいので、試しに物語を考えてみましょう。

3年前に別れた2人がいます。さぁ、想像力を働かせてください。

男性は、成田章一《なりたしょういち》（29歳）。女性は、木下瑤子《きのしたようこ》（27歳）。表参道の交差点で、木下瑤子が信号待ちをしていると、成田章一がたまたま隣に立ちます。車のクラクションで、2人がそれとなく顔を上げると、お互いに気づいて、あっとなります。


さて、ここからどんな物語が展開するでしょうか？

1分間でいいので、ちょっと考えてみてください。


1分経ちました。どうでしょうか？

「こんなふうにしたら面白いかな？」「ちょっとヨリを戻すような感じかな」と、いろいろと考えたと思います。

あなたは、この1分間で、何を考えていたかわかりますか？ ほとんどの方が、「ストーリー」を考えていたのです。

「え？ そんなの当たり前じゃん」という顔をしていますね。この当たり前、という感覚が怖いのです。なぜなら、ストーリーをどれだけ一生懸命考えても、面白い物語はつくれないからです。

ストーリーは、パターンである

なぜ、ストーリーから考えると、物語は面白くならないのでしょうか。

そもそも、ストーリーとは何かというと、物語の筋書きを意味します。筋書きとは何かというと、出来事の羅列です。ストーリーとは、出来事の羅列なのです。

そして、ストーリーは、ある決定的な宿命を持っています。それは、パターンだということです。

新井一は、『シナリオ作法論集』（映人社）の中で、ストーリーは21パターンだと言っています。シナリオ・センターの講師で、脚本家であり小説家の柏田道夫さんは、ストーリーは5パターンとその組み合わせだと言います。ハリウッド脚本術の著書で有名なブレイク・スナイダーさんは『10のストーリー・タイプから学ぶ脚本術 SAVE THE CATの法則』（フィルムアート社）で、10パターンのストーリーについて言及しています。

ここで重要なのは、数ではありません。注目すべきは、「パターン」という言葉です。実は『七人の侍』も、『荒野の七人』も、『ミッション：インポッシブル』シリーズも、『オーシャンズ』シリーズも、『ワイルド・スピード』シリーズも、「仲間と力を合わせて問題を解決しようとする」という同じパターンのストーリーです。

ということは、一生懸命に頭を捻ったとしても、あなたの物語は、何かしらのパターンに当てはまります。すると、何が起こるのでしょうか。

物語をつくり始めます。あなたは、無意識のうちにストーリーを考えます。最初は、「お、天才かも！　これは面白い作品になるぞ」と、意気込んで筆を進めていきますが、ある瞬間、筆が止まります。そして、こんなことを思うのです。

「あれ、これどこかで、読んだことある話だな」

「あれ、なんか、よくある展開だな」

「あれ、私って才能がないのかな」

そして、書くのをやめてしまうのです。才能がないわけでも、アイデアが悪いわけでもなく、ただただ、やり方が間違っているだけなのに、です。

勘違いしてほしくないのは、ストーリーを考えてはいけない、と言っているわけではありません。そうではなくて、ストーリーはパターンだということを知らずに創作を始めると、大怪我をするよ、ということです。

物語の構造を整理する

「ストーリーを考えても面白くならないのであれば、どうすれば面白くなるの？」と、悶々としているかと思います。安心してください。ちゃんと解決策はあります。

まずは、物語の構造を、誰でも知っている昔話の『桃太郎』を使って、整理してみましょう。

「桃太郎が、鬼を退治しようとする話」というストーリーがあります。

ストーリーを分解すると、「桃太郎が誕生」「村が鬼に襲われる」「桃太郎、鬼退治を決意」「仲間が集まる」「鬼ヶ島に向かう」「鬼ヶ島で戦う」「鬼を倒す」「めでたし、めでたし」という「ストーリーライン」になります。

ストーリーラインを分解すると、「シークエンス」になります。例えば、「桃太郎が誕生」というストーリーラインは、「おじいさんとおばあさんの生活」「おばあさん、桃を拾う」「桃太郎、誕生の瞬間」「桃太郎の成長」というシークエンスでできています。

そして、シークエンスを分解すると、いくつかの「シーン」になります。「おじいさんとおばあさんの生活」というシークエンスであれば、「山へ芝刈りに行くシーン」「川へ洗濯に行くシーン」などで描かれます。

物語は、「ストーリー」「ストーリーライン」「シークエンス」「シーン」によってできています。映画やテレビドラマの場合は、このように分解できます。小説の場合は、ここまで明確に分けて考えないようですが、「ストーリーライン」が章、「シークエンス」が章の中の一話、「シーン」が一話のエピソードと言えるでしょう。

物語は、ストーリーとドラマでできている

では、この構造を利用して、物語は何を描くのでしょうか。ここ、めちゃくちゃ大切なところです。わかりますか？

答えは、「ドラマ」です。

物語は、「ストーリー」と「ドラマ」という2つの要素で、できています。

物語とは、ストーリー構造を利用して、ドラマを描くことなのです。観客・読者が楽しむのは、ドラマなのです。食事で言うなら、ストーリーが器で、ドラマが料理で

す。

気づきましたか。ストーリーを一生懸命にこねくり回すということは、器を磨くことだけで、美味しい食事を提供しようとするようなものです。そこには、肝心のドラマという料理が、盛られてすらいないのです。

面白い物語をつくるためには、ドラマを描かなければいけません。

ドラマは、シーンで描かれる

次の疑問は、「じゃあ、ドラマはどこで描くのか」ではないでしょうか。

実はその答えについては、みなさんの誰もがわかっているはずです。そう、「シーンで描けばいい」のです。

身近なところで考えてみましょう。映画を観に行くとします。

ふれこみは、こうです。「全米が涙した、奇跡のラブストーリー」。どこかで聞いたことがあります。そして、みなさんは映画を観ながら涙を流します。その涙は、何を観ながら流れているのでしょうか。ドラマチックな「シーン」ですよね。

スタジオジブリの宮崎駿監督は、ドキュメンタリー番組の中で「観客は、シーンを観たくて映画を観るんだから」とおっしゃっていました。

私たちは、ドラマチックなシーンが観たいのです。ラブストーリーとわかっていても、２時間、２０００円も払って映画を観に行くのは、「どうやって」くっついたり、「どうやって」離れたりするのかというシーンが観たいからです。

シーンひとつひとつにドラマが描かれることで、ストーリー全体にドラマが行き渡り、ドラマチックな物語ができあがるのです。

ドラマとは何か

こうなると知りたいのは、ドラマとは何か、ですね。

シーンで描かれているものを考えれば、自ずと答えは出ます。シーンには、主人公を中心とした登場人物たちのアクション・リアクションが描かれています。

つまり、ドラマとは「人間を描くこと」なのです。作者であるみなさんが捉えた「人間」の姿、すなわち登場人物のアクション・リアクションをシーンで描くことで、ドラマが生まれるのです。

先ほどの「表参道の物語」であれば、まずは登場人物について考えなければいけなかったのです。

ですが、登場人物のアクション・リアクションを描くだけでは、単なる日常のスケッチになってしまいます。それはドラマではありません。ドラマを、『大辞泉』で調べてみると、

(1) 演劇。芝居。「テレビ――」
(2) 戯曲。脚本。「――を書く」
(3) 劇的な出来事。劇的事件。「旅先で――がある」

とあります。ドラマとは、劇的である必要があるのです。

では、この劇的を引き出すためには、何が必要なのでしょうか。それは、登場人物に障害をぶつけて、葛藤・対立・相克の状態にすることです。なぜ、登場人物を葛藤させることがドラマチックになるかというと、人は、困っている状態の登場人物に感情移入をするからです。

ドラマとストーリーの関係図

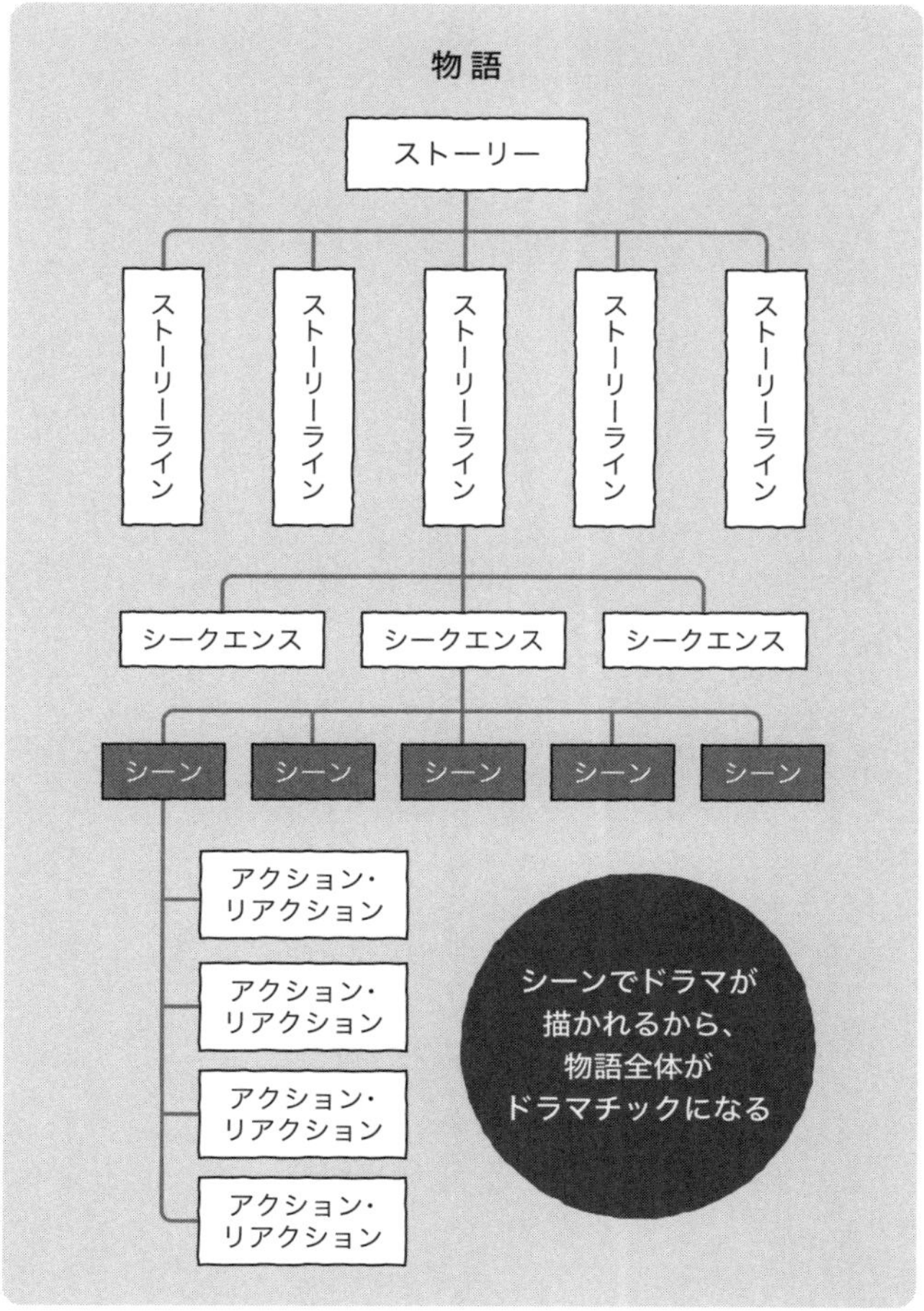
物語
ストーリー
ストーリーライン
ストーリーライン
ストーリーライン
ストーリーライン
ストーリーライン
シークエンス
シークエンス
シークエンス
シーン
シーン
シーン
シーン
シーン
アクション・リアクション
アクション・リアクション
アクション・リアクション
アクション・リアクション
シーンでドラマが描かれるから、物語全体がドラマチックになる

ストーリーとドラマの違いを、整理しておきましょう。
W杯《ワールドカップ》でアルゼンチンが優勝する、という物語があるとします。

「W杯で、アルゼンチンがフランスをPK戦の末に下して、優勝をした」

これは、ストーリーです。出来事を伝えているだけです。

「PK戦のキッカーは、アルゼンチンのエース。ゆっくりとボールに向かい、じっとゴールキーパーを見ます。フランスのキーパーは、両手を大きく動かします。エースは、ゴクリと唾を飲み込みます。左か、右か、上か、下か……静まりかえるアルゼンチンサポーター。大きく息を吐くエース」

これは、ドラマです。エースは、決めなければならないという状況で、ゴールキーパーという障害が立ちはだかり、どちらに蹴るべきか、葛藤します。ドラマは、出来事ではなく、人間を描くことなのです。詳しくは、第3章と第5章で説明します。

Section
3

面白い物語をつくるには

面白い「シーン」のつくり方

みなさんは気づいたはずです。いままで、ストーリーを面白くしようとして、挫折していたけれど、シーンを面白くすればいいのだ、ということを。

シーンを面白くする方法をとてもシンプルにお伝えすると、登場人物のアクションとリアクションを魅力的にすることです。はい、終わり。たったこれだけです。

登場人物のアクションとリアクションというのは、登場人物がする動作や、話すセリフのことです。マンガや小説であれば、登場人物が感じていることも、吹き出しや地の文を使って表現します。

登場人物が複数いれば、当然そこにやりとりが生まれます。太郎が何か言えば、花子のリアクションが生まれます。そして花子がアクションを起こすと、太郎のリアクションが生まれる、といった具合です。

アクション・リアクションは、物語の要素の最小単位です。物語の根っこに当たる登場人物のアクションとリアクションが面白ければ、結果的に物語全体が面白くなります。

例えば、恋人にふられた主人公が、1人で傷ついているシーンを描くとします。あなたなら、どんなシーンにしますか。

よくあるのが、やけ酒です。これも、1つの方法です。ですが、アクションとしては、ありきたりな感じもします。では、やけ酒ではなく、別のものならどうでしょうか。「やけ○○」で、○○の中を考えてみてください。

- **やけスターバックス**：何だかやたらとトッピングして、よくわからない味になった無駄に高いコーヒーを飲む。
- **やけたい焼き**：たい焼きを頭から何個も食べる。
- **やけ渡蟹**：蟹の甲羅をガンガン叩いて、泣きながらむしゃぶりつく。

などなど、恋人にふられた悲しさの表現は、いくらでも生まれます。

例に挙げた3つ、そんなに面白くはないぞ、という方は、それこそ面白い「やけ○○」を考えてみてください。あなたの作家性の見せどころです。

アクション・リアクションを考える肝は「キャラクター」

次にお伝えしたいのは、アクション・リアクションを面白くするのは何なのかです。いよいよ、物語づくりの核心に迫ってきました。

この答えも、シンプルです。答えは、登場人物のキャラクターです。キャラクターとは何かについては、第3章で詳しくお伝えしますが、簡単に言えば「登場人物らしさ」です。

登場人物らしさが、アクション・リアクションを面白くします。アクション・リアクションは、行為の奇抜さではなく、登場人物のキャラクターを軸に考えるのがポイントです。

私はけっこう、「やけ渡蟹」は気に入っていますが、キャラクターに合わなければ、却下せざるを得ません。先ほどの面白くない例で出した「やけ酒」のほうが、登場人物らしさが出ているのなら、そちらを採用します。

登場人物のキャラクター × アクション・リアクション = 面白いシーン

この組み合わせは、無限にあります。ストーリーは有限で、ドラマは無限だという理由は、このためです。

映像をイメージすることで、よりキャラクターが際立つ

さらに、登場人物のアクション・リアクションを、どこで、何をするか、映像でイメージできると、登場人物のキャラクターらしさが出てきます。

登場人物がやけ酒を飲むのであれば、深夜のバーでテキーラを飲んでいる人物と、夕暮れ時に家でアルコール度数の低いお酒を飲んでいる人物では、まったくキャラクターが異なります。映像を思い浮かべることで、登場人物らしいアクション・リアクションが生まれます。第5章で紹介する、「映像思考」を身につけてください。

面白い物語を書くためには、ストーリーを考えるのをやめて、意識的にドラマを描くことを考えていけばいいのです。そうすれば、自ずと面白い作品を書くことができます。これは、１００％自信を持って言えます。

私たちの思考は、なぜだかストーリーに引っ張られるからこそ、ドラマが描けるようになれば、頭ひとつ、いや３つ、いやいや５つは抜けられます。

登場人物のキャラクターこそ重要

登場人物のキャラクターこそ、物語の面白さの根っこです。ドラマとは、人間を描くことと言われる由縁です。常に、この登場人物だったら、どうするのかを考えるようにしてください。

登場人物は少なくていいから、徹底してキャラクターをつくる事を心がけてください。相当ものが違ってきます。

内館牧子『月刊シナリオ教室』２０１５年11月号

いままで創作をしてきた方であれば、「キャラクターが大切だなんて、誰でも言っているじゃないか」と思うかもしれません。ですが、なぜ、キャラクターが大切なのかを理解した上で創作するのとそうでないのとでは、作品の質は明らかに変わります。

面白い物語の条件を整理すると、左図のようになります。

面白い物語の条件

登場人物のキャラクターが魅力的

▼

そのアクション・リアクションに魅力がある

▼

シーンにドラマが描かれている

▼

シークエンスが
ドラマチックに構成されている

▼

ストーリーラインがドラマチック

▼

ストーリーがドラマチック

▼

物語が面白い

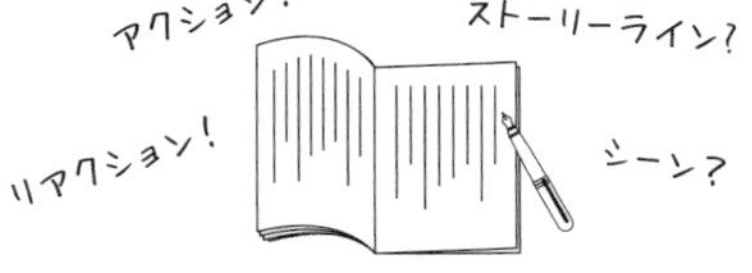

Section
4

「正しく悩む」ために頭をつくり変える

主人公の一筋縄ではいかない人生のある期間

ここからは、みなさんが物語をエンドマークまで書くために、何を考え、どう書けばいいのかを整理していきます。

まず物語は、あなたが考えた主人公の、人生のある期間を描きます。ある期間というのは、数時間の場合もあれば、３日間や１週間、数か月、数年の場合もあります。一生を描くこともあります。

その期間は、主人公にとって一筋縄ではいかない期間です。どれだけ大変かというと、主人公とは縁もゆかりもない他人である観客・読者が、思わず興味を持ってしまうほどです。しかも、興味を持つ人は、数人程度ではなく、数万人から数百万人、数千万人にもおよびます。

それだけの人たちを、主人公とともに、物語のエンドマークまで連れて行くのが、あなたです。腕が鳴りますね。

📖主人公と観客・読者が歩く道のり

物語の全体像を把握しておきましょう。次ページの図は、物語の構成を表現したものです。シナリオ・センターでは必ず講座の中で紹介しています。シナリオはもちろん、小説などすべての創作に活用できます。第4章で、詳しく説明します。

まず、物語は左から右の時間軸で進行していきます。

うねうねした山のような形が、物語の盛り上がりを意味します。山の形が一番盛り上がっている部分が、物語のクライマックスです。物語は、クライマックスを迎えると、おわりに向かいます。

時間軸と、盛り上がりの線の最後に交わる部分が、エンドマークとなります。

これが、物語の全体像です。このでこぼこした道を、主人公は歩いて行きます。脇役や端役が、出番になると一緒に歩きだします。その姿を、観客・読者は追っていき

物語の構成（全体像）

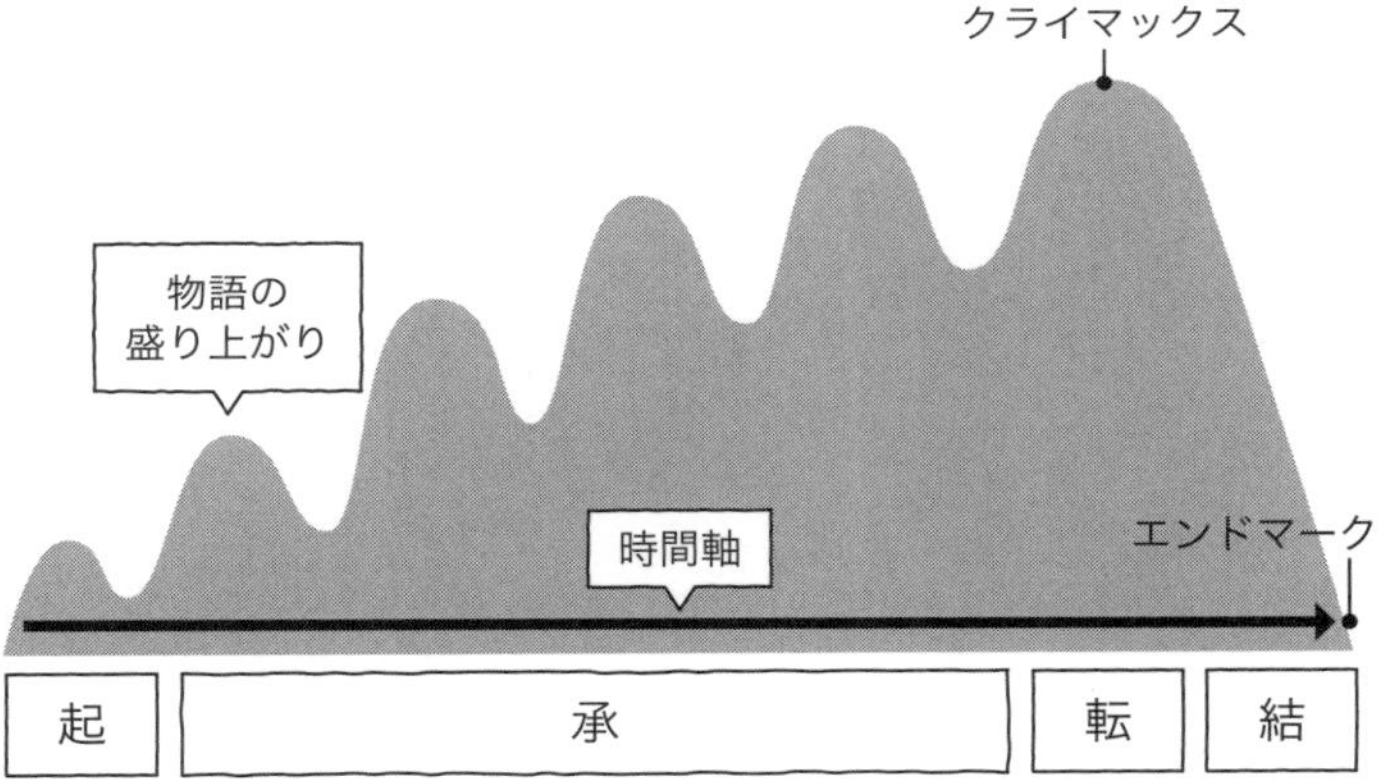

ます。

主人公に、どんなでこぼこ道（ストーリー）を、どうやって（ドラマ）歩かせたら面白くなるのかを、作者は考えます。

正しい悩みと正しくない悩み

序章で、「プロは正しく悩むのに対して、みなさんは正しくない悩み方をする」という話をしました。私のことを、なんとも偉そうな奴だと思ったはずです。

ですが、「どう書くか」がわかれば、誰でもプロと同じように「正しく悩む」ことができます。まずは「正しい悩み」と「正しくない悩み」の違いを説明させてください。

この2つの違いを、自動車の運転にたとえてみます。自動車で高速道路を走っていると思ってください。どちらの自動車も、目的地は一緒です。

あなたは、高速道路の追い越し車線を快調に走っています。しばらくすると、後方の車との車間距離が詰まっていることに気づきます。あなたは、この車線で行くべきか、左車線に移動すべきかで悩みます。

まず、正しく悩めるプロの場合です。

先を急ぎたい気持ちもありますが、ここは無理することはないな、と判断し、

- **左車線に車がないことをミラーと目視で確認し、**
- **ウィンカーを出します。**

スムーズに、車線変更が完了です。

次に、正しくない悩み方をしてしまう場合です。

- **あなたは、車線変更って、どうすればいいのか考えます。**
- **そして、車線変更をするのなら、ウィンカーを出さなければならないと思います。**

・ウィンカーのレバーを確認しますが、左右どちらかわかりません。
・試しにレバーを上げると、ワイパーが動きだし、あわてます。
・ブレーキを踏んで減速しながら移ったほうがいいのか、加速して移ったほうがいいのか、これまたわからなくなります。
・しかも、左車線をミラーで確認すると、少し遠くのほうに後続車がいます。
・この自動車を待つべきかどうか、再び悩みます。
なんとか車線変更の完了です。気力も体力も使い果たしてしまいます。

自動車の運転にたとえると、こんな感じです。
プロは、移動すべきか否かのみで悩みます。自動車の運転方法では、一切悩みません。つまり「何を書くか」では悩むけれど、「どう書くか」では悩まないということです。みなさんの場合は、移動すべきか否かで悩み、さらに運転方法でも悩みます。もうパニック状態です。自動車を運転する方なら、免許取りたてのときに経験したであろう、あのパニックが、創作の際にも頭の中で起きます。

「正しく悩む」とは、作品を、より面白くすることだけに集中できるということです。「正しくない悩み」とは、「何を書くか」でも、「どう書くか」でも悩んでしまう状態です。積んでいるエンジンは高性能なのに、運転技術がおぼつかないのです。

登場人物のキャラクター × アクション・リアクション ＝ 面白いシーン

これは、無限だという話をしました。無限の可能性の中から、ふさわしい1つのセリフ、ふさわしい心情表現を書くのが、創作の難しさです。「どう書くか」は、創作の難しさではありません。

「どう書くか」と同時に、「何を書くか」を考えるから、頭が混乱するのです。頭の使い方で言えば、みなさんのほうが、プロの方よりもよっぽど複雑です。タコ足配線のような状態です。創作のタコ足配線を、きれいにしていくところから始めましょう。それだけで、物語をつくる力が一歩どころではなく、五歩くらい前進します。頭をつくり変えるときが、やってきました。

Section
5

「創作の地図」を頭に描け

物語は３つのパートでできている

いよいよ、本書の本丸である「創作の地図」をみなさんにお渡しします。この地図さえ手にすれば、正しく悩むための入口に立つことができます。さぁ、張り切ってまいりましょう。

物語は、「ストーリー」と「ドラマ」という２つの要素でできています。

そして、物語をつくるときに、考えるべきアイデアは３つのパートに分かれています。

１つ目は、物語の設定を考えるパート。

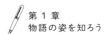

2つ目は、登場人物と構成を練るパート。

3つ目は、シーンを描くパート。


アイデアの質を、抽象から具体という順で大中小で表現するならば、物語の設定を考えるパートは、物語の輪郭の部分なので、アイデアとしては「大」になります。もっとも抽象度が高くなります。

登場人物と構成は、物語の流れを形づくるものなので、アイデアとしては「中」。

シーンを描くパートは、物語のシーンを考えるという意味で、アイデアとしては「小」。もっとも具体的なアイデアを捻り出すのが、このパートです。


物語のアイデアというと、多くの方が「大」の物語の設定を考えることだと思うようです。これは、大きな間違いです。アイデアには、大中小があるのです。

一口に「アイデアが出ない」とか「アイデアが湧いてきた！」と言ったとしても、それが、どこのアイデアなのかを理解していないと、物語に必要なアイデアが揃っているのかどうか、判断がつきません。どのパートのアイデアが浮かんでいるのか、あなた自身がわかるようになりましょう。

アイデアは何のためにあるのか

それぞれのパートについて説明する前に、そもそもこれらのアイデアは何のために考えるのでしょうか。

「いや、物語を面白くするためだろ」というツッコミが聞こえてきます。まさに、その通りです。アイデアは、「物語」を面白くするために考えます。

ということは、まずはこれからどんな物語が描きたいのか、幹となる部分を考える必要があります。なのに、ここを忘れて、多くの方が枝葉のアイデア出しに走ってしまいます。

まずは「主人公が、何をしようとする話なのか」を考えます。例えば、「主人公が、悪を倒そうとする話」「主人公が、家族を再生させようとする話」「主人公が、自分に素直になろうとする話」「主人公が、過去を乗り越えようとする話」「主人公が、名を上げようとする話」などです。

この部分は、アイデアを出す過程で変わるかもしれません。「主人公が、家族を再生させようとする話」から「主人公が、自分に素直になろうとする話」に変更したほうがよさそうであれば、変更してかまいません。

「主人公が、〇〇をする話」ではなく、「〇〇しようとする話」で考えるのも、ポイントです。「しようとする」にすることで、目的が達成できるか否かに広がりが生まれます。ハッピーエンドにも、バッドエンドにもできるということです。

幹の部分は、シンプルで、かつ広がりがある表現にすることで、アイデアという枝葉が伸びて、花や実をつけやすくなります。

「主人公が、何をしようとする話なのか」というシンプルな幹を、面白いアイデアで彩るために役に立つのが、「創作の地図」です。

📖 物語の設定を考える

アイデアを考える1つ目は、物語の設定を考えるパートです。世界観を考えるとも言います。アイデアの抽象度が高い分、頭の中が整理できていない方が多いパートです。一緒に整理していきましょう。

新井一は、世界観を考えることを、「世界定め」と言います。

物語の大枠を考えることになるので、もっとも自由に考えることができます。そのため、いろいろなことが浮かんできて、収拾がつかなくなることもあります。物語の設定を考えるときは、「テーマ」「モチーフ」「素材」の3つの項目に分けて考えます。

テーマというのは、その作品の中で、あなたが訴えたいことです。物語の方向性を決めるのが、「テーマ」です。例えば「友情は大切だ」「母の愛は無償だ」「戦争は悪だ」「愛はお金よりも尊いものだ」などです。

テーマをどう考えるかにも、もちろんコツがあります。テーマを考えるのが苦手という声を、よく聞きます。そういう方は、第2章で取り上げますので、楽しみにしてください。

モチーフというのは、テーマを具体化するものです。

テーマが「戦争は悪だ」だとしたら、そのテーマを描くためのモチーフは、「戦場の衛生兵」であったり、「仲むつまじい家族」であったり、いろいろと考えられます。

最後に、素材です。素材というのは、モチーフをさらに具体的にしたものです。素材を考えるときは、「天地人」の要素を考えていくと、頭の中が整理されます。

天地人とは、次の通りです。

天：時代・情勢
地：物語の舞台となる場所・土地
人：登場人物

物語の世界観を考えると言うと、どこから手をつけていいのか悩んでしまいます。「主人公が、何をしようとする話なのか」に対して、3つの項目に分けることで、考えるべきことがクリアになります。詳しくは、第2章で触れていきましょう。

登場人物と構成を練る

２つ目のパートは、登場人物と構成を練るパートです。

登場人物については、素材の「人」の部分でもあります。登場人物のキャラクターを、どう考えればいいのかわからないという方は、意外に多いようです。

登場人物を考える際に、「登場人物の履歴書をつくれ」という言葉があります。この言葉自体に間違いはないのですが、誤解している方が多いようです。なので、「正しい履歴書のつくり方」について、第３章で触れていきたいと思います。

構成は、物語全体の流れを考えます。

物語というのは、主人公のある期間を描くことだとお伝えしました。

構成については、シナリオ・センターでは、「起承転結」でお伝えしています。本書でも、それに倣って解説していきます。

構成を考えるポイントは、「起」「承」「転」「結」それぞれが持っている機能です。この機能を理解しておくことで、「どう書くか」の大部分を押さえることができます。長編を書くときも、困らなくなります。

構成に対して苦手意識のある方は、第4章でぜひとも克服してください。

シーンを描く

観客や読者の目に直接触れるのが、シーンです。シーンでは、登場人物のアクション・リアクションを描きます。シーンを描くのは、創作の醍醐味です。一番楽しいところでもあり、一番苦しいところでもあります。筆が走る、筆が止まるというのは、まさにシーンを描くときに生まれます。

コンクールなどの選評で、もっとも多いのが、「設定は面白いのに、読み出したらアイデア倒れだった」というものです。日々の鍛錬が問われるのが、このシーンを描く部分です。シーンを描くためには、具体的なアイデアを考える作家性と、考えたアイデアを表現する技術が必要になります。

映像業界では、設定などのアイデアは、プロとアマチュアの差はないと言われています。出版の世界でも同様ではないかと感じます。

では、どこに差が生まれるのかというと、ディテールです。つまり、ワンシーン、ワンシーンの魅力の差が、プロとアマの差なのです。

わかりやすいのが、古典落語です。落語家によって、くすぐりなど多少の差異はあるものの、基本の噺は同じです。同じ噺なのに、上手い下手が生まれます。それは、語り口という、ディテールの差が、作品全体の表現力の差となって現れるのです。

シーンこそ、「どう書くか」を手の内に入れて、「何を書くか」に集中すべきところです。あなたが「何を書くか」に集中できるように、第5章でサポートしていきます。

創作のパートのどこから考えてもいい

物語をつくるための3つのパートについて、ご理解いただけたかと思います。みなさんの中で、素朴な疑問が湧いているのではないでしょうか。それは、物語をつくるときに、物語の設定を考えるパート、登場人物と構成を練るパート、シーンを描くパートの順で考えなければいけないのか、という疑問です。

答えは、どのパートから考えてもいい、です。71ページの図の右側の矢印のように、各パートを行き来しながら、あなた自身のペースでアイデアを出してください。

また、アイデアが出てくると、いろいろなアイデアが芋づる式に出てきます。ただし、大中小のパートはバラバラです。バラバラに出てきたアイデアをまとめきれなくなることで、アイデア出しから先に進めない、ということが起きます。

そのため、出てきたアイデアを、創作の地図をもとに、どのパートのアイデアなのか把握してください。そうすることで、創作の配線がごちゃごちゃにならずに済みます。アイデア出しから先に進みやすくなります。

すべてのパートのアイデアを考える

アイデア自体は、どこから考えてもかまいませんが、すべてのパートを考えてください。いままで長編に挑戦して、エンドマークまで書けなかった方の多くは、３つのパートのどこかのアイデアを抜かしてしまっているか、あるパートのアイデアが弱いまま書き始めてしまったかのいずれかです。そこに、表現技術の不足が掛け合わさってしまったのです。

「創作の地図」を手にすることで、各パートのアイデアの過不足に気づくことができます。各パートのアイデアの良し悪しについても、俯瞰して眺めることができます。

アイデアを俯瞰する「創作の地図」

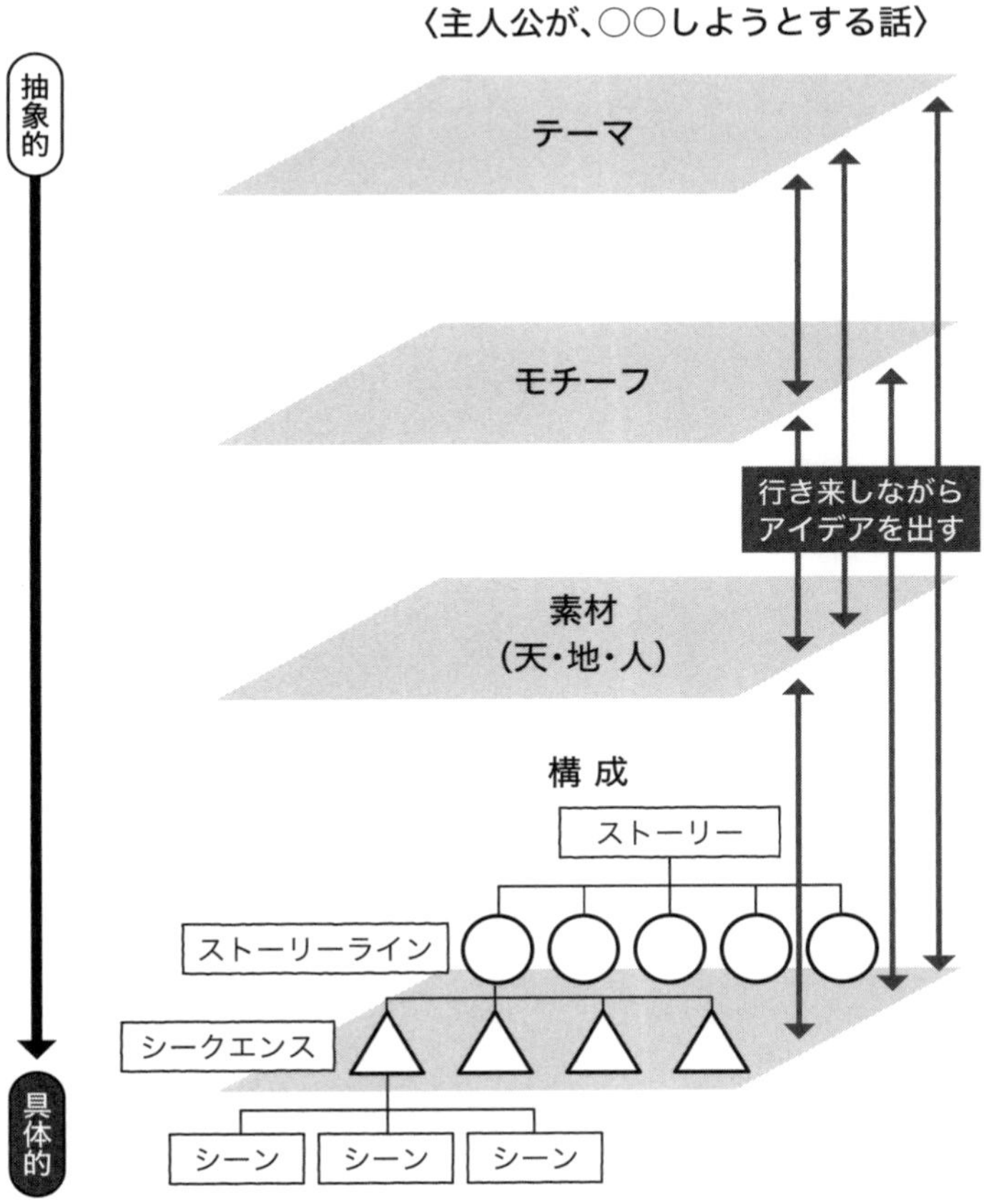

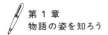

作品の直しも捗るようになります。

「創作の地図」があることで、何を考えるべきかが整理され、あなたの物語をさらに面白くするために、どこをどう考えればいいのかまで、チェックすることができます。

すでにみなさんは、エンドマークまで書けそうな気がしてきたのではないでしょうか。経験者の方は、ここで、この創作講座から抜けてもいいですし、執筆中の作品を、創作の地図にはめてみて、足りないパートがないか、チェックすることもできます。

もし問題があれば、解決策をお伝えしている章を読んでください。

それぞれのパートをしっかり確認しておきたいという方は、一緒に創作講座を続けていきましょう。

第 2 章

物語の設定のつくり方

Section 1

物語の設定を考えるための3つの要素

面白い物語の設定は、誰でもつくれる

本章から、物語づくりに必要なパートごとに、表現技術を整理していきます。いわゆる各論です。みなさんの創作が捗るように、声を枯らして講義をしていきます。

物語づくりは、大きく3つのパートに分かれています。

1つ目は、物語の設定を考える「大の発想」。
2つ目は、登場人物と構成を練る「中の発想」。
3つ目は、シーンを描く「小の発想」。

これら3つのパートによって、あなたが書こうとする「主人公が、○○しようとす

創作の地図における発想の大・中・小

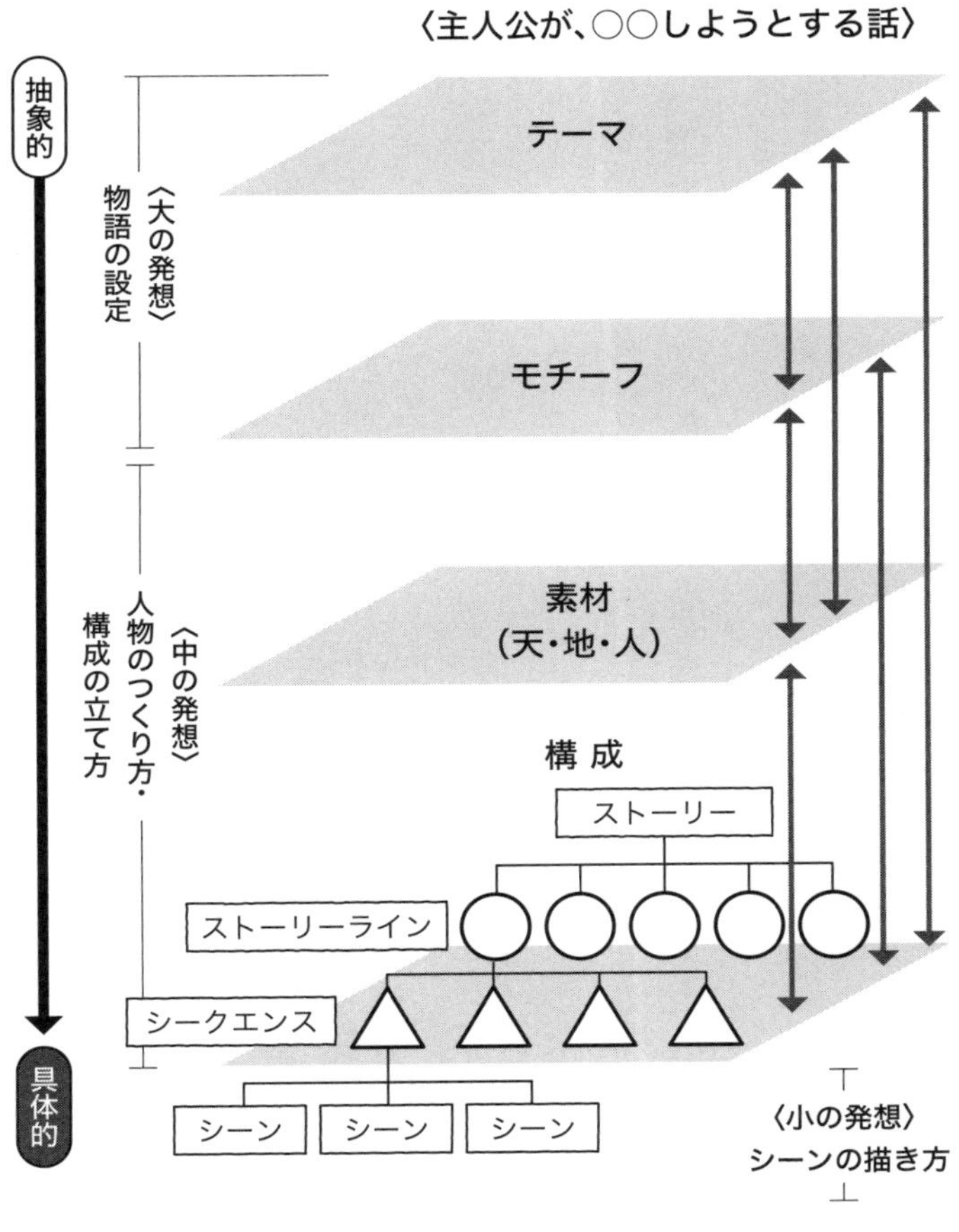

る話」を形にしていきます。

本章では、「世界定め」と呼ばれる物語の設定のつくり方について、お話ししていきます。この章を読み終えると、「物語の設定って、奇抜なアイデアを、無理やり捻り出すことじゃないんだ」と、わかっていただけます。いや、わかる、だけではなく、物語の設定そのものがつくれるようになります。

アイデア偏重型から脱しよう

アイデアがどんどん出てくるから、物語の設定を考えるのは好き、という方もいれば、アイデアが湧かなくて嫌い、という方もいます。物語の設定を考えることについては、得手不得手が大きく分かれます。

アイデアを出すのが好きな方も、嫌いな方も、アイデアをもとに物語の設定がつくれないなら、悩みの根っこは同じかもしれません。それは、物語を書くためには、誰も思いつかないようなとびっきりのアイデアを思いつく必要がある、という思い込みです。まずはこの思い込みから脱出しましょう。

物語の設定は、掛け算から生まれる

では、実際どうやったら、物語の設定はつくれるのでしょうか。

答えはシンプルです。物語の設定は、「テーマ」「モチーフ」「素材」の３つの要素の掛け算でつくればいいのです。


「テーマ」×「モチーフ」×「素材」＝面白い物語の設定

アイデア偏重型《へんちょうがた》のみなさんは、どういうわけか、「モチーフ」をこねくり回して、面白くしようとする傾向があります。「モチーフ」というのは、簡単に言うと物語の題材です。アイデア偏重型の方は、物語の題材に変わったものはないか、いままで見たことも聞いたこともないものはないか、と必死になります。大切なことですが、「モチーフ」だけで考えようとすると、なかなかいいアイデアは生まれません。

そこで、「掛け算」なのです。

映画『タイタニック』の3つの要素を見てみましょう。「主人公が、愛する人と添い遂げようとする話」を「テーマ」×「モチーフ」×「素材」で面白くしています。

- テーマ………人を愛することは、尊いものだ
- モチーフ……身分違いの恋　タイタニック号の沈没
- 素材………天：1912年
  地：イギリス・サウサンプトン港　タイタニック号
  人：画家志望の貧しい青年・ジャック
  上流階級の令嬢・ローズ

沈没するタイタニック号というのは、一見、強烈なモチーフのように思えますが、そこで誰と誰が、何をするか、があればこそです。「モチーフ」だけで、面白くなるわけではありません。

物語の設定は掛け算でつくる、ということを心に刻んでください。それだけで「設

定がありきたり」と言われることを防げます。

意外に思うかもしれませんが、プロの世界でも3要素を整理できていない、なんてこともあります。シナリオ・センターでも、映画やテレビドラマのプロデューサーの方々向けの研修を依頼されますが、こういった背景があるのかもしれません。

今のプロデューサーたちの言うことに、テーマはないんですよ。モチーフはあるけれど、テーマがない。しかも、もう一つ始末が悪いのは、テーマとモチーフを混同しちゃってるんですよ。

倉本聰、【聞き手】碓井広義『脚本力』(幻冬舎)

「テーマ」「モチーフ」「素材」を考えるだけで、アイデアが生まれます。頭の中も整理されます。体感していきましょう。

Section

2

「テーマ」を使ったアイデアの出し方

「テーマ」「モチーフ」「素材」の役割を整理しよう

ここからは、「テーマ」「モチーフ」「素材」を使って、物語の設定を考える方法をお伝えします。まずは、それぞれの役割を掴んでおきましょう。アイデアが浮かんだときに、どのアイデアが浮かんだのか、わかるようになります。アイデアが浮かばないときには、何を考えればいいのかがわかります。

みなさんに、3要素について理解をしてもらった上で、どうアイデアを考えればいいかを深掘りしていきます。まずは、「テーマ」です。

テーマを考えよう

私たちが話したり、文章を書いたりするのは、誰かに伝えたいことがあるからです。

「今日は帰りが遅くなるからね」という日常のセリフにも、「帰りが遅くなる」というテーマがあります。

物語にもテーマがあります。物語のテーマとは、作者が観客・読者に訴えたいものです。

テーマを考えるのが苦手な方は、テーマというものは、高尚な主張や考え方でなければいけない、と思い込んでいるようです。ものすごく肩に力が入っている状態です。

伝えたいテーマが、たくさんあるという方もいると思います。

テーマがあるのは、いいことです。ですが、伝えたいことがありすぎて、1つの物語の中に、テーマをいくつも詰め込んでしまいがちです。その結果、物語の方向性が掴めなくなってしまうのです。身に覚えはありませんか?

みなさんがどちらのパターンだとしても、テーマの役割と、テーマの3つの条件を整理していくことで、問題は解決できます。

テーマの役割は、物語の旗印

観客・読者に訴えるためのテーマが、なぜ必要なのでしょうか。

それは、作者であるみなさんが、創作の途中でどこへ向かっているのか、道に迷わないためです。これ、実はとても大切です。というか、テーマを考える意味は九分九厘、このためだと思ってください。そう、みなさんのためなのです。

というのも、テーマは、起承転結の「転」=クライマックスで観客・読者に伝えます。構成の山の一番高いところです。物語は、ここを目指して進んで行くわけです。

テーマは、物語が目指すべきところを示す旗印です。

みなさん、想像してください。「これから2時間、歩き続けてください。ただし、ゴールは秘密です」と言われて、歩けますか？　地獄ですよね。

テーマという旗印がないまま創作をするということは、これと同じです。

とくに、長編は、書いている間に道に迷います。クライマックスまでの道のりが、遠く、険しいためです。だからこそ、テーマが必要なのです。

シンプルなテーマを旗印にする

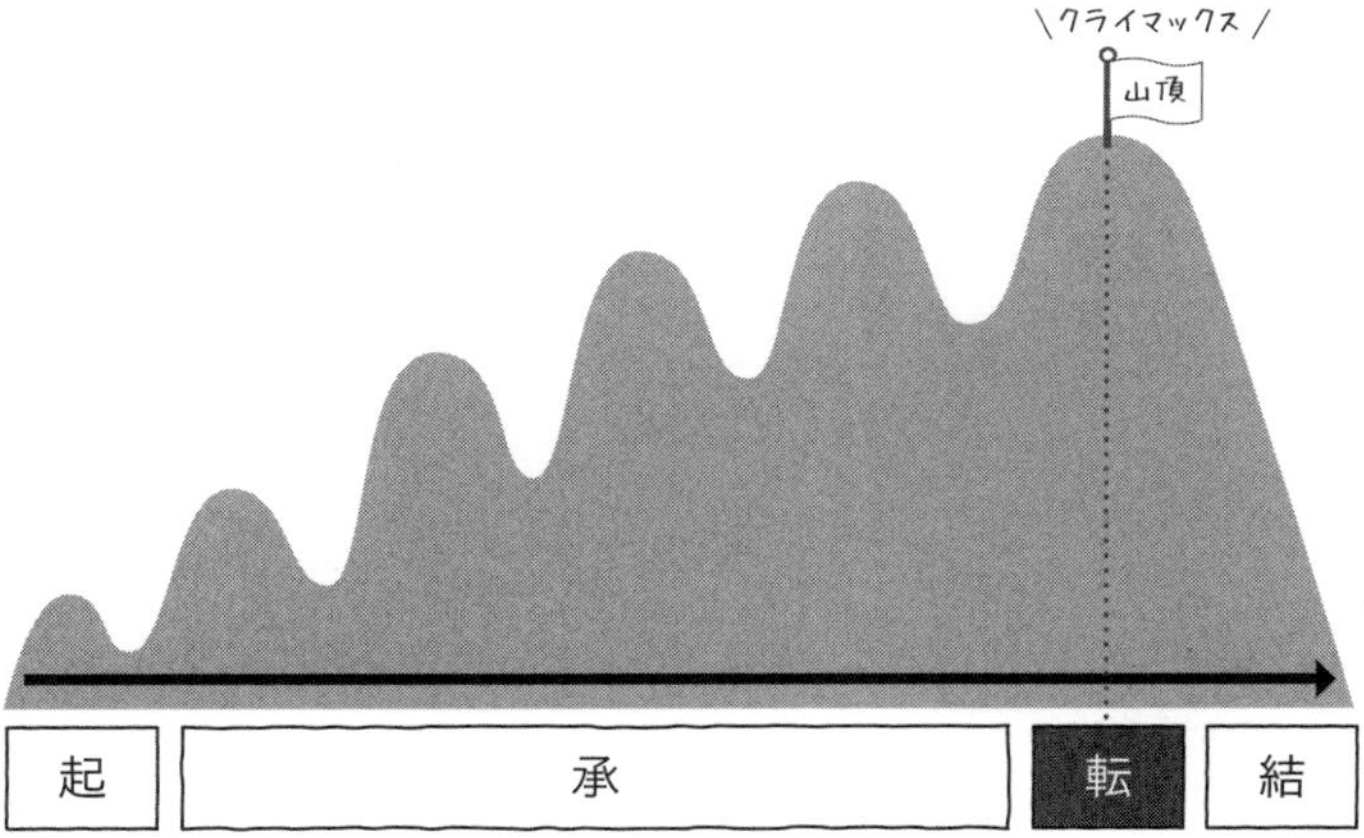

テーマが決まったら、ノートの一番目立つところに書いておき、テーマからずれていないか、いつでも確認できるようにしてください。

テーマはいつ、考えるべきか

テーマは旗印だ、と言うと、最初から明確なテーマがなくてはいけない、と思い込んで行き詰まってしまう方もいるかもしれません。

テーマを考えるタイミングについては、プロの作家の方でも、最初から考える方もいれば、書いていくうちにだんだんとテーマが見えてくる、という方もいます。

テーマを考えるタイミングや、テーマが

はっきりとするタイミングは、作家ごと、作品ごとに違います。テーマは、最初から設定しても、あとからはっきりさせてもかまいません。書き進める間に、想定したテーマから変わって、本当に伝えたいものが見えてくる場合もあります。

> 僕の場合は、1稿目ってどんなに長くなってもいいから、ぶち込めるだけぶち込んでみる。そうすると自分がなにを伝えたいかが見えてくる気がするんです。
>
> 周防正行『月刊シナリオ教室』2013年1月号

条件❶ テーマは、一言で言えること

テーマの役割は、物語の旗印です。だからこそ、テーマの条件は3つあります。

- テーマは、一言で言えること
- テーマは、1つであること
- テーマは、無言で伝えること

テーマをどう考えればいいのかわからない方も、テーマがたくさん浮かんでしまう方も、テーマの条件がわかれば考えやすくなります。

まず、テーマは、一言で言えるものにしてください。例えば、「友情は大切だ」「母の愛情は無償だ」「戦争は悪だ」「愛はお金よりも尊いものだ」などが挙げられます。これくらい、シンプルでかまいません。

ただし、注意が必要です。それは、「友情」「母の愛情」「戦争」「愛」だけでは、テーマにはならないということです。作者であるあなたが、友情について、母の愛情について、どう考えるのかを示す必要があります。

なぜなら、テーマが「友情は大切だ」と「友情はもろいものだ」「友情はお金では買えないものだ」では、物語の方向性が変わるからです。テーマを考えるときは、何かしらの「○○」について、作者の主張「△△」が必要になります。テーマを考えるときの公式です。

テーマ＝「○○は、△△だ」

テーマは、シンプルに考えてください。

「人とのつながりは尊いけれど、面倒なものだ」とか「誰かのためを想う厳しさは、ときに理解されなくても必要なものだ」がテーマだとしたら、物語の方向性は掴めません。

テーマをシンプルにするのが怖い、という方は思い出してください。物語の設定は、「テーマ」単体で考えるものではありません。「テーマ」「モチーフ」「素材」の掛け算です。ですから、シンプルでいいのです。

試しに、あなたの好きな作品を5つ取り上げて、作品のテーマを「○○は、△△だ」に当てはめてみてください。シンプルなテーマに、落ち着くはずです。

かなり大雑把ですが、大抵のラブストーリーのテーマは、「素直になることは、大切だ」です。青春ものなら「友情は、代えがたいものだ」、ヒューマンドラマなら「自分と向き合うことは、必要だ」になります。誤解を恐れずに言えば、一言で言えることを、2時間使ったり、15万字使ったりして表現するのが、物語なのです。

秋元　作詞なんかも同じで、ラブソングで「私はあなたが好きです」以上の歌詞はない。それを「この紙マッチが消えるまであなたを見ていたい」と表現して、頂上は一つしかないのに、どのルートから登るか、一生懸命回り道をするしかないんだよ。

川村元気『仕事。』（集英社）

条件❷　テーマは、１つであること

どんなに長い物語でも、テーマは１つです。間違っても「○○は、△△だし、××だし、□□だ」にしてはいけません。この理由も、テーマが旗印であるという役割から考えるとはっきりします。

そうです。テーマが複数あるということは、目指すべきゴールが複数になるということです。主人公が歩くべき構成の道は、険しく、山あり谷ありですが、あくまで一本道なのです。

テーマが３つも４つもあったのでは、主人公の進むべき道が、途中で三叉路になったりします。それでは、どのテーマも描ききれません。

一番恐ろしいのは、テーマがぼやけていても、物語は書けてしまうことです。作者は何となく違和感を持ったまま、それでも力技で最後まで書けてしまうのです。そういった作品は、観客・読者の心を打ちません。

シナリオ・センターが主催するコンクールには、初心者から上級者まで様々な方にご応募いただきます。テーマがぼやけた作品は、最終審査には残りません。心に響くものがないからです。

テーマなしではシナリオはまったく進みません。例えば、ナマっている女子高生がジャズの演奏をするとか、男子のシンクロがあるとか、いくら部品を集めてきても、テーマが見つからないと何をしていいかわからない。確固としたテーマが見つかりさえすれば、そこへ向かってこういうシーン、こういうキャラクターと、迷わず突進していける。その結果、お客さんに共感してもらえるものになっていくのだと思います。

矢口史靖『月刊シナリオ教室』２０１６年６月号

「テーマはシンプルで、１つに絞るのはわかった。でも、小学生が言いそうなテーマをクライマックスで言いだしたら、それこそ魅力のない物語じゃないか」という声が聞こえてきます。まさに、おっしゃる通りです。テーマを言ってしまうクライマックスなんて、耳をふさぎたくなります。

条件❸ テーマは、無言で伝えること

では、テーマはどう伝えればいいのでしょうか。

テーマは、作者が観客や読者に伝えたいことです。ですが、テーマを伝えると言っても、テーマそのものを伝えるわけではありません。

「戦争は、悪だ」というテーマを伝える場合、主人公の口から「戦争は、悪だ！」と叫んでしまっては、台無しです。絶対にやってはいけないことです。

作家のみなさんは、物語という形を借りて、訴えたいテーマを伝えるのです。テーマは、表に出すのではなく、作品の中に溶け込ませるものなのです。

テーマは、無言で伝えるもの、と肝に銘じておいてください。テーマを無言で伝え

るために、モチーフと素材があり、構成があります。

観客・読者の感情に訴える

テーマを無言で表現すべきなのは、なぜでしょうか。物語のテーマは、観客や読者の頭ではなく、感情に訴えるものです。「作者の言いたいことは、これなんだ」と簡単にわかってしまう作品は、いい作品とは言えません。

物語というのは、作者のみで完結するのではなく、観客・読者それぞれの受け止め方があってこそです。観客・読者の心に、すぐには言語化できない感情が芽生え、映画を観たあと、小説を読んだあと、しばらくその作品世界に浸りたくなる、誰かと話したくなるような作品こそ、優れた作品と言えるのでしょう。

人間の不思議さ、訳のわからなさが面白い。（中略）ドラマというのは、よくわからないところがあって、それを視聴者が想像して、視聴者の数だけ結論がある。すぐに結論が出てしまうドラマなんて、大したことないんです。

ジェームス三木『月刊シナリオ教室』2015年6月号

Section
3

「モチーフ」を使ったアイデアの出し方

「モチーフ」と「素材」の役割

「テーマ」「モチーフ」「素材」を考えている段階を、「アイデアを練る」とか「企画を練る」とか言います。机の前で、うんうん唸りながら考えてもいいですが、気晴らしに散歩などをしながら、リラックスした状態で考えるのもいいようです。

「モチーフ」と「素材」の役割を整理しておきましょう。

モチーフの役割は、テーマをより具体的にすることです。テーマは物語の旗印だとお伝えしました。モチーフは、その旗印に向かう一本の道と言えます。物語の核となるものです。

プロの作家のインタビューなどで、「インスピレーションが湧いた」というのは、自分の持っているテーマにふさわしいモチーフを発見したときの言葉と言えます。

素材の役割は、モチーフをより具体化させることです。モチーフが、テーマを具体的にするための一本の道だとすれば、素材はスタート地点です。物語が、どんな時代の、どこを舞台にした、どんな登場人物たちの話なのかを考えます。

テーマは、「モチーフ」⇩「素材」の順番で具体的になります。「他の作品とは、ちょっと違うぞ」という設定は、モチーフと素材によって生まれます。

設定を考える順番はあなた次第

「物語の設定を考える順番も、テーマ、モチーフ、素材の順にすべきなのか？」と思っている方もいるかと思います。考える順番は、気にする必要はありません。思いついたところから考え始めてください。

魅力的な主人公が思いついたことをきっかけに、その主人公が活きるモチーフを考え、そこからどんなテーマを伝えられるかを考えることもできます。

よいモチーフが浮かんで、そこから素材を考え、テーマに何を持ってこようか、と

構成における「モチーフ」と「素材」

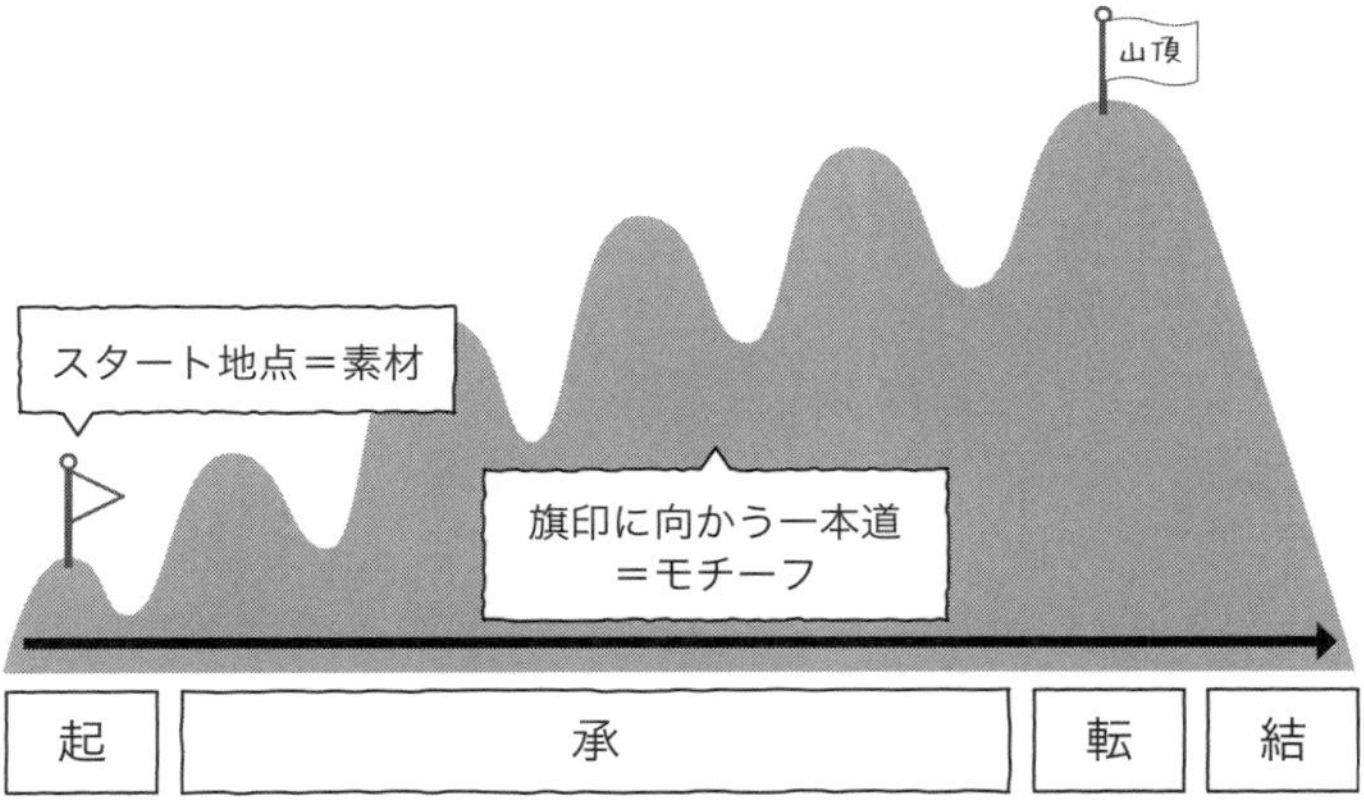

考えてもいいのです。思いついたところから発想を膨らませて、３要素すべてを埋めていってください。

大切なのは、３要素をヌケモレなく考えることです。要素が１つでも抜けてしまうと、結果的に物語の設定が弱くなってしまいます。それだけは、注意してください。

モチーフは、無限の可能性を持っている

モチーフには無限の可能性があります。例えば、「友情は大切だ」というテーマを伝えようと思ったら、モチーフは「全国優勝を目指す野球チーム」でも「海賊王を目指す海賊団」でも「黒人と白人のバンド」で

もいいわけです。

アイデアを出すのが得意な方にとって一番楽しいのが、このモチーフを考えているときかもしれません。アイデアを出すのが苦手な方にとっては、一番苦しいのがモチーフでしょうか。では、モチーフのアイデアを出す方法を紹介しましょう。

ジャンルから発想を広げる

物語には、様々なジャンルがあります。分類の方法は多種多様ですが、オーソドックスなものを、シナリオ・センターの講師でもある柏田道夫さんの『〈改訂版〉小説・シナリオ二刀流　奥義』（言視舎）から挙げてみます。

「経済・実録」「歴史・時代」「SF」「ファンタジー」「ホラー」「サスペンス」「ハードボイルド・冒険」「ミステリー・推理」「風俗・官能」「恋愛・青春」「ヒューマン・伝記」。これに映像系のジャンルを加えると、「コメディ」「ホームドラマ」「アクション」「シリアス」などでしょうか。「ラブ・コメ」「青春ミステリー」など、ジャンル自体が掛け算になる場合もあります。

モチーフが思い浮かばない、というときは、思い切ってテーマに合いそうなジャンルから発想してみるのもいいかもしれません。

『『友情は大切だ』を、ミステリーで描けないだろうか。ハードボイルドなら、どうだろうか』のように、ひとり企画会議をしてみるのです。ジャンルが持つ特有のイメージから、思わぬモチーフが浮かんでくることがあります。

ジャンルの分類よりも、細かい「○○もの」という分類から、発想することもできます。「○○もの」というのは、例えば、「学園もの」「職業もの」「異世界もの」という形で、ジャンルより細かい分類を意味します。

描きたいテーマに対して、描きやすい「○○もの」は何かと探したり、テーマに対して意外性のある「○○もの」をぶつけてみたりして、発想を広げてみてください。

「ジャンル」×「○○もの」で発想を広げる

「ジャンル」×「○○もの」で、モチーフをつくることもできます。

例えば、「歴史」×「医者もの」で発想したとします。

「思いやりは、尊いものだ」というテーマを描くために、江戸時代にタイムスリップしたお医者さんと、町人たちをモチーフにすることもできます。

新撰組副長の土方歳三と、戊辰戦争で最後まで旧幕府軍についた医師の松本良順をモチーフに、「友情は大切だ」というテーマを描くこともできますし、「戦争は悲惨なものだ」というテーマを描くこともできます。

物語のジャンルや分類そのものが、モチーフになるわけではありませんが、モチーフを発想する手掛かりになります。

自分をとっかかりにする「自分起点法」

スパイや探偵ばかりが、物語に適しているわけではありません。物語のモチーフは、あなた自身の半径5メートルにたくさん転がっています。あなたの身近な領域から発想してみてください。

こう言うと、「私が知っていることなんて、そんなに大したことはない」と言う方が必ずいます。ですが、決してそんなことはありません。世界中の人は、あなたが普段やっていることを知りません。知らないことに、人は興味を持つものです。

仮にあなたが、経理の仕事をしているとします。職場の役割としては、少し地味な部署かもしれません。ですが、経理の仕事をモチーフに物語はつくれます。

もしもあなたの趣味が節約だとしたら、その知識をモチーフに物語をつくることだってできます。あなたのお父さんが、定年後はどう過ごそうかと思案しているとしたら、それも立派なモチーフです。

もう1つ、あなたの興味のある領域から発想することもできます。音楽が好きな方であれば、プロを目指すバンドマン、ビッグバンドに憧れる少年、マニアックなレコードを扱うレコード店などなど、あなたの好きな音楽を起点に、モチーフになりそうなアイデアを考えることができます。

事実から発想する「新聞きりぬき法」

新聞を取る人の数は、年々減っているようです。インターネットの普及で、新聞を取らなくても、ニュースに触れることができるからでしょうか。

実際に起きた出来事を、アイデアのきっかけにする方法が「新聞きりぬき法」です。必ずしも、新聞を読まなくてはいけないわけではありません。きっかけにする出来事は、ニュースで取り上げられたものから、あなたの身の回りで起きたことでもかまいません。

わかりやすいのは、社会派と呼ばれるジャンルでしょうか。実際の出来事をもとに、物語をつくります。小説や映画でも、実際の出来事をもとにした作品はたくさんあります。日頃から、興味のあるニュースや身近な出来事に、アンテナを張っておきましょう。

アイデアがいまいちなら「あべこべ法」を試してみる

発想法を試してみたけど、自分のアイデアなんて、大したことないと思ってしまった方は、こんな方法も試してみてください。それは、新井一式「あべこべ法」です。「あべこべ法」とは、読んで字のごとく、あべこべに考えるというものです。コツは、いまいちなアイデアだなと思ったら、そのアイデアのあべこべを考えることです。もしくは、あえて「あるある」なアイデアを考えて、あべこべにする方法もあります。

例えば、「ミステリー」×「刑事もの」の組み合わせから、「難事件を、腕の立つ敏腕刑事が解決する」というモチーフを思いついたものの、これだとありきたりだなと、思ったとします。そんなとき、あべこべ法を使います。

- 難事件を解決する、拳銃の苦手な中年刑事（↑↓腕の立つ敏腕刑事）
- 簡単な事件ばかりが舞い込んでしまう（↑↓難事件）敏腕刑事

「自分起点法」にも、「あべこべ法」は使えます。先ほど挙げた経理の仕事で試してみましょう。経理の仕事というのは、間違いがあってはいけない仕事です。

- 数字に強い主人公↑↓数字が苦手な主人公
- 会社のお金を管理する主人公↑↓会社のお金を横領する主人公
- 会社のお金を横領する主人公↑↓会社の不正会計を告発する主人公

などなど、あべこべ法を使って発想を広げてみてください。

Section 4

「素材」を使ったアイデアの出し方

📖「素材」を組み合わせて、切り口を考える

「素材」から、アイデアを発想する方法についても、整理をしていきましょう。

「素材」の役割は、モチーフをより具体的にすることです。そのため、素材を考えるときは、モチーフについてあれこれ考えて素材を発想していく方法と、素材から発想して、モチーフもしくはテーマへとつなげていく方法があります。

素材の要素は、天地人の3つです。覚えましたよね？

天：時代・情勢

地：物語の舞台となる場所・土地

人：登場人物

天地人を変えるだけで、同じテーマ、同じモチーフでも、異なる物語になります。テーマが「友情は大切だ」で、モチーフが野球チームの場合で考えてみましょう。３つの例それぞれの物語を想像してみてください。

【例１】
天：２０１９年
地：東京
人：野球の経験がない不良

【例２】
天：１９４５年
地：沖縄
人：野球がやりたくてもやれない高校生

【例3】
天：1990年
地：アメリカ
人：片腕のない投手

創作が好きなあなたであれば、すでに異なる物語のイメージが湧いているはずです。素材は、天地人のどこから発想しても、まったく問題ありません。

「天」から発想を広げる

「天」では、物語の時代や情勢などを考えます。

「天」：現代、2001年、1945年、2100年、戦国時代、江戸時代など

先ほどの例でも、「天」をずらすだけで、時代が持つ特有の情勢などが、物語の雰囲気を醸し出しましたよね。ちょっと、ワクワクしませんか。

「地」から発想を広げる

次に、「地」を考えてみましょう。「地」は、物語の舞台となる場所です。

「地」：東京、沖縄、ニューヨーク、地方都市、農村地帯、東南アジア、ヨーロッパ

このように、いくらでも考えられます。

考えるときは、頭の中に地図アプリを開いて、まずは地球全体を見渡し、次に大陸、国、地方、地域、地区、施設のような感じで、大きな視点から、どんどんと焦点を狭めていきます。意外な「地」との出会いがあります。

経理の例であれば、「六本木のＩＴ企業」と「今治市にあるタオル工場」、「シカゴのマフィア」というように「地」を変えるだけで、物語の印象が変わります。

「地」は、見過ごされがちですが、その場所だからこそ成立する作品はたくさんあります。様々な作品の「地」に注目してみると、思わぬ気づきがあるはずです。

ちなみに、コンクールなどで圧倒的に多い「地」は、東京です。東京が悪いわけではありませんが、「何となく東京かな」ではいけません。東京である必然性があるのかどうか、東京であればどの地区なのかも、この時点で考えてください。

「人」から発想を広げる

「人」は、登場人物です。まずは、主人公を考えてみましょう。どんな主人公を描きたいか、どんな主人公なら面白い物語ができそうかを考えます。

「天」「地」が決まることで、「人」のイメージが湧くこともありますし、その逆もあります。登場人物のつくり方については、次章を楽しみにしてください。

「人」から発想を広げて、モチーフやテーマを考えていくこともできます。

主人公のキャラクターがイメージできると、この人物なら、こんなことを言いそう、こんなことをしそうというアクション・リアクションが浮かんできます。シーンのアイデアも湧いてきます。主人公から発想することで、ストーリーに引っ張られがちな私たちの脳みそを、ドラマへと切り替えてくれます。

素材も掛け算をすることができる

こんな感じで、天地人からアイデアを出すことができます。お気づきかと思いますが、素材の天地人も掛け算をすることができます。

「天」×「地」×「人」＝魅力的な素材

最初に挙げた公式も、細かく表記するならば、こうなります。

「テーマ」×「モチーフ」×「素材（天×地×人）」＝面白い物語の設定

掛け算によって、あなたの物語にしかない魅力的な設定は、必ずつくれます。最初から突飛なアイデアを考える必要はありません。

アイデアは出るものの、まとめられなかった方も、なかなかアイデアが出なかった方も、光が見えてきたはずです。地道に積み上げていきましょう。

たと思います。

📖「テーマ」「モチーフ」「素材」を考えるために、作家の眼を磨く

「テーマ」「モチーフ」「素材」を使って、どう考えればいいのか、おわかりいただけたと思います。

ですが、この3要素の中に、何を入れるのかは、あなた次第です。創作講座で用意したのは、器です。器の中身は、あなたが用意するものです。

新井一は、創作をする人間には、「作家の眼」が必要だと言います。作家の眼というのは、あなた自身が、人間を、そして、人間を取り巻く社会やものごとをどう考えるか、ということです。

「戦争は悪いことだ」ということは、子どもでもわかります。ですが、戦争を歓迎する人々は実際にいるわけです。「貧富の差はよくない」ともよく言われます。ですが、現実はそうではありません。ものごとの上っ面だけを眺めていても、作家の眼とは言えません。一筋縄ではいかない私たち人間の心を、そして営みを、あなたがどう考えるのかということが、作家には常に問われます。

第 3 章

登場人物のつくり方

Section 1

観客・読者が登場人物を欲している

物語づくりの第二パート

ついに、ここまでやってきました。登場人物と構成を練るパートです。

前述したように、物語づくりは、アイデアの大きさで3つのパートに分けられます。

- 物語の設定を考える「大の発想」
- 登場人物と構成を練る「中の発想」
- シーンを描く「小の発想」

これから説明する登場人物と、第4章で説明する構成は、アイデアの大きさで言うと、「中」です。

登場人物は、素材である天地人の「人」に当たります。「人」の部分は、物語をつくる上で、もっとも大切な部分です。なぜかと言うと、物語の面白さは、血の通った登場人物が描けるか否かに、かかっているからです。

登場人物がうまくつくれないのはなぜか

登場人物のつくり方について、悩みが尽きない、という方は多いと思います。

「登場人物の考え方が、そもそもよくわからない」
「登場人物をつくっても、どういうわけか物語が進展しない」
「物語が進むにつれて、登場人物のキャラクターがブレていく」
「どこかで観たり、読んだりしたようなキャラクターになってしまう」
「人物の履歴書をつくってみたら、むしろキャラクターがよくわからなくなった」

登場人物のつくり方に悩む原因は、2つあります。そもそも、登場人物について考え足りないか、考えすぎか、です。

考え不足も考えすぎも、登場人物が動き出さないのであれば、つくり方が間違っています。登場人物をつくる方法を手に入れましょう。

📖物語に登場人物が必要なのはなぜなのか

そもそも、物語に登場人物が必要な理由は、何でしょうか。

あまりにも当たり前すぎて、目が点になっている方もいますね。ですが、ここがとても大切なのです。登場人物が必要な理由を、観客・読者の側と、作者であるみなさんの側の、２つの面から考えてみましょう。


まずは、観客・読者の側から。

ここに２つの映像が流れています。ニュースで雪国の様子を紹介するときに流れるような、そんな映像です。流れていますよ。想像してください。

１つ目の映像には、横なぐりの吹雪と、吹雪で揺れる街灯が映っています。これだけです。

２つ目の映像には、横なぐりの吹雪と、吹雪で揺れる街灯。その近くで、レインコートのフードを両手で押さえている少女の姿が映っています。

あなたが視聴者だとして、この２つの映像を見比べたとき、どちらの映像に興味が湧くでしょうか。へそ曲がりでなければ、少女が登場した、２つ目の映像のはずです。想像力の豊かなあなたなら、「あの少女、寒そうだな」とか「こんな吹雪で、家に帰れるのかな」とか「こんな日に、何してるんだろう」とか思ったはずです。吹雪そのものよりも、吹雪の中にいる人物に興味を持ちます。

そうです。どういうわけか、私たちには、人間が登場したら、その人のことが気になってしまう、という不思議な習性があるのです。あまり面白くない映画や小説でも、何だかんだ最後まで観たり読んだりしてしまうことがあります。それは、登場人物がどうなるのか気になるからです。

登場人物は、観客・読者を惹きつけるツールとして強力です。

だからこそ、観客・読者は、物語の世界にどっぷりとつかるために、魅力的な登場人物を待ち望んでいるのです。

パターンを突破するのがキャラクター

では、作家であるあなたにとって、魅力的な登場人物が必要な理由は何でしょうか。「そりゃ、面白い物語にするためだろう！」という声が聞こえてきます。ですが、それでは答えになっていません。魅力的な登場人物がつくれると、なぜ物語が面白くなるのか、を考えてほしいのです。

ヒントは、第1章でお伝えした、「ストーリーはパターンだ」ということです。ストーリーはパターンですが、ドラマは無限だというお話をしました。無限にあるドラマを生み出すのが、登場人物です。登場人物を魅力的につくることができれば、その登場人物ならではのアクション・リアクションが生まれるので、シーンが魅力的になり、物語全体が魅力的になります。

「ストーリーはパターンだ」という宿命を突破してくれる唯一の相棒が、登場人物です。登場人物のキャラクターを考えることを、おざなりにしてはいけません。

Section 2

登場人物が物語づくりを加速させる

キャラクターが生み出す悲劇

登場人物のキャラクターを考えていないと、何が起きるのか。嫌なことばかりが起きます。覚悟してください。いくつか挙げてみましょう。

まず、創作の途中で筆が止まります。書き進めていくうちに、ありきたりな物語に感じてきます。なぜかと言うと、登場人物が類型化されてしまうため、登場人物のセリフも行動も、ありきたりになるからです。

そうなると、書いていても、つまらなくなります。しまいには、自分にはオリジナリティがないのでは、と不安になります。「ない」のは、正しい考え方だけなのに、です。もったいないですよね。

次の悲劇は、登場人物をストーリー展開に都合よく合わせてしまうことです。こういった作品は、ご都合主義と言われます。ストーリーは展開しますが、肝心のドラマがスカスカなので、観客・読者の気持ちを掴むことはできません。まさに、悲劇です。

キャラクターがブレるという、最悪の事態も起こります。このキャラブレは、作者にとっても、観客・読者にとっても、最悪です。

悲しいことに、作者はキャラブレしていることに、気がつきません。なぜなら、作者の中で登場人物のキャラクターを確立できていないときに起こるのが、キャラブレだからです。

キャラブレに敏感なのは、むしろ、観客・読者のほうです。物語の最初に掴んだキャラクターと、物語の途中のキャラクターに統一感がないと、観客・読者はものすごい違和感を覚えます。

「こんなこと、言わないいんじゃない？」

「こんなこと、しないいんじゃない？」

こう感じたら最後、もう物語から心が離れていきます。

とどめの一撃です。物語に登場人物らしさが感じられないとしたら、観客・読者は感情移入ができません。運よくエンドマークまでは付き合ってくれても、それは思春期の子が、親の買い物に付き合うくらい低いテンションです。

キャラクターから物語のアイデアが湧いてくる

登場人物のキャラクターを正しく考えないと、たくさんの悲劇が起きます。「これ、自分がよく陥るやつだ……」と内心、ヒヤッとした方もいたかもしれません。

では逆に、登場人物のキャラクターが正しく考えられたら、どうなるでしょうか。あなたの創作に、いいことばかりが起きます。

まず、登場人物ならではの言動が、どんどん浮かんできます。

昨日今日知り合った人の言動は、よくわかりません。ですが、十年来の友人の言動であれば、イメージが湧きます。これと同じで、登場人物のキャラクター設定ができれば、架空の人物をまるで知り合いかのように描くことができます。
一流の作家がよく言う、「登場人物が動き出す」という状態です。あなたも間違いなく、そういう状態になります。口癖は、「登場人物が動き出したから、朝まで書く手が止まらなかったよ」になります。寝不足には、ご注意ください。

「こんなシーンがあってもよさそう」と、シーンのイメージも浮かんできます。こんな場所で、こんなことをするシーンがありそう、こんなことを言うシーンがありそう、とシーンのイメージが浮かびます。
「そのキャラだったら、飲みに行くときは、学生街の大衆居酒屋じゃない」とか、「いや、友達の家で安酒を飲むんだよ」と、シーンのイメージが湧き、「で、早く酔うために、つまみは塩で、酒飲んだら頭ふったりするかもな」など、キャラクターならではの、アクション・リアクションまでイメージを膨らませることができます。アイデアが出なくて困る、という悩みから解放されます。

構成のアイデアにも、困らなくなります。登場人物のキャラクターが明確になっていれば「この人物だったら、こんな障害をぶつけてみよう」「この人物が悩む状況をつくってみよう」と、登場人物を軸に、物語のアイデアを出すことができます。

誰でも困る事件や事情ではなく、その人だからこそ困る障害をぶつけることができるので、物語のオリジナリティが俄然上がります。

登場人物の設定を考えることで、モチーフのアイデアも浮かびます。

モチーフは制限なく考えることができるため、決め手に欠けることもあります。そんなときに、登場人物のキャラクターが軸になることで、「この人物が、苦しみながらも活躍できるモチーフは何か」と、発想を広げることができます。

登場人物のイメージが固まることで、物語のテーマも浮かんできます。この人物だったら、どんな障害で悩み、どんな変化や成長をしていくのだろうかと、テーマが考えやすくなります。

物語の中心は、常に登場人物です。初心者の方は、登場人物よりも、設定に凝ってしまって、人物が二の次になりがちです。ストーリーパターン地獄に一直線です。登場人物のキャラクターは、あなたを救う蜘蛛の糸です。

キャラクターを決めるタイミングは、人それぞれ、作品ごとにも異なります。ですが、シーンを描き始める前には、必ず登場人物をつくってください。登場人物が設定できれば、物語づくりは一気に加速します。

作家の役割

観客・読者を物語の世界に引き留めるのは、登場人物です。

登場人物の最大の役割は、観客や読者を魅了し続けることです。そして、作家であるあなたの役割は、そんな登場人物を生み出すことです。生み出した登場人物のアクション・リアクションを描くことで、面白い物語にしていくのです。

まだ誰も見たことも会ったこともない登場人物をいきいきと描くことができるのは、他の誰でもない、あなただけです。創作の醍醐味を存分に味わってください。

Section 3

魅力的な登場人物に感情移入する

登場人物が観客や読者を物語の世界へ没入させる

魅力的な登場人物とは、どんな人物でしょうか。古今東西、何万という物語から、何億という登場人物が生まれたことでしょう。すべてに共通するのは、観客・読者が「感情移入」できる人物ということです。

あなたは、観客・読者が「感情移入」するような登場人物を生み出せばいいのです。そんな登場人物ができたら、物語は成功したも同然。観客・読者は、あなたの物語の虜になります。一気にエンドマークまで連れて行くことができます。

「感情移入」とは、どういう意味でしょうか。

『大辞泉』で調べてみると、次のようになります。

自分の感情や精神を他の人や自然、芸術作品などに投射することで、それらと自分との融合を感じる意識作用。

何だか、ちょっと難しいですね。

例えば、恋愛映画を観て「うわぁ〜何ではっきり気持ちを伝えないの」と、主人公の行動にやきもきしたり、アクションドラマを観て「そっちは敵がいるから、行っちゃダメだって！」と、主人公に向かって心の中で叫んだり、小説を読んで「この主人公の気持ち、わかるわぁ〜」と物思いに耽ったりすることを、感情移入と言います。「何だよ、この主人公。最低なやつだな」というのも感情移入です。主人公のことを理解するとか、共感するのとはちょっと違います。主人公の行動に対して、気づかないうちに感情が動いている状態です。

映画でも、小説でも、マンガでも、演劇でも、作品に触れていて、あっという間に時間がすぎてしまうというとき、私たちは感情移入をしています。

映画や小説の登場人物に、なぜ感情移入ができるのか

創作にまつわる書籍では、観客や読者を、登場人物に感情移入させなさい、と書いてあります。私はずっと「なるほど」と思っていましたが、あるとき、そもそも、なぜ人は感情移入をするのだろうか、という疑問にぶつかりました。

考えてみたら、不思議ではないですか。感情移入している相手は、見ず知らずの登場人物です。家族でも、友達でもありません。しかも、画面越しだったり、紙面越しだったりします。

感情移入を理解するには、人類の進化の過程までさかのぼる必要があるようです。

血縁関係から、その範囲を拡大して、人類が相互扶助的な集団の中で、他者との間に感情的な絆を作る能力を発達させてきたが、それは小説や映画に登場する虚構のキャラクターとの間に、感情的な絆を作る能力につながっている。

ポール・ジョセフ・ガリーノ、コニー・シアーズ『脚本の科学』（フィルムアート社）

私たちは、友人の失恋話で一緒に泣いたり、情けない話で笑い合ったり、同僚が受けたパワハラに腹を立てます。同じように、映画を観たり小説を読んだりして、痛そうなシーンでは、思わず目をつむったり、体に力が入ったりします。主人公の境遇に涙を流すことも、走り出す主人公を応援することもあります。

登場人物が危険な状況や苦しい状況で感じていることを、私たちは、柔らかい椅子に腰かけたままでも、十分に理解することができるのです。

私たちは、他人の出来事に対して、自分のことのように感情移入します。人生における様々な出来事は、派手か地味かに関わらず、美しくて、少しだけ悲しいからです。「裸で私は地上にきた、裸で地下へ行くだろう。ではなぜに徒らに労するのか、終は裸だと知りながら」と嘆く古代ギリシア人は、演劇を「苦痛の解毒剤」と言いました。

観客・読者が感情移入する、すてきな登場人物をつくってください。そうすることで観客・読者は、あなたの物語を自分の人生の一部として、味わえるのです。

Section
4

登場人物の魅力をつくる

登場人物を考える軸を手に入れよう

登場人物のキャラクターを、どう考えていけばいいのか、進めていきましょう。あなたは、キャラクターを練るとき、どんなふうに考えていますか。多くの方から、「そりゃ、自分なりにかなり詳しく考えていますよ」と、怒られそうです。

たしかに、キャラクターをつくる上で、詳しく考える必要はあります。ですが、キャラクターを考える際のコツは、ズバリ考えすぎないことです。詳しく考えるべきだけど、考えすぎてはいけません。「えっ？」という声が聞こえてきそうです。

登場人物のキャラクターは、最終的にはしっかりと考える必要があります。24歳の女性を描くのであれば、その女性の家族構成から、生い立ち、考え方とその考え方に至った背景、人間関係や人との距離の取り方、抱えている不安や期待、彼女の周りの環境、背格好から服装、趣味に至るまで、考えるべきことは山ほどあります。

生きた人物として、アクション・リアクションが、頭の中で浮かぶまで考えます。ですが、いきなり様々な要素を考えてしまうと、人物像が多面的になりすぎて、キャラクターがぼやけてしまいます。あなたも、一生懸命考えた末に、「この人物、結局どういう人なんだ?」と愕然とした経験があるのではないかと思います。

キャラクターは「最初から」考えすぎてはいけないのです。Yシャツのボタンを一番上から順に留めていくように、登場人物のつくり方にも順番があります。

では、最初のボタンとは何か。キャラクターを考える軸は、3つです。

- 性格
- 憧れ性
- 共通性

登場人物の性格はデフォルメして考える

まず、登場人物の性格を考えます。

性格を考えるときは、シンプルに考えます。小学6年生くらいの子が、「あの子は、○○な子だから」というくらいで考えてください。

「甘ったれ」「明るい」「愛想がいい、悪い」「いじわる」「陰気」「いくじなし」「後ろむき」「おおらか」「臆病」「おおざっぱ」「おとなしい」「お人好し」「がんこ」「がめつい」「几帳面」「気が短い」「気が強い、弱い」「けち」「強情」「好奇心旺盛」「寂しがり屋」「正直者」「正義感が強い」「繊細」「世話好き」「そそっかしい」「頼もしい」「のんびり屋」「朗らか」「真面目」「まめ」「めんどくさがり」「目立ちたがり」「優しい」「融通がきかない」「理屈っぽい」「冷静」「わがまま」などです。

性格を考える時点では、シンプルに考えてください。「気が弱くて、繊細だけれど、正義感が強くて、融通がきかないところがある性格」のように設定する方が、たまにいます。たしかに考えられている感じはしますが、一体どんなことを言いそうかイメージが湧くでしょうか。複雑すぎてどんな人物か、さっぱりわかりません。

人間には、いろいろな面があります。性格は単一ではありません。ですが、物語の登場人物のキャラクターも同じように考えてしまうと、メリハリが生まれません。観客・読者が混乱してしまうのです。

例えば、イラストで、ジョン・レノンを描こうと思ったら、丸めがねと大きな鼻、ヒットラーであれば、前髪とちょび髭だけで伝わります。登場人物もある面を誇張することで、人物像が伝えやすくなります。

「○○すぎる性格」という言葉を使って、考えてみてください。これは、『シナリオの基礎技術』（ダヴィッド社）の中で、新井一が性格はデフォルメするといいと表現したことを受けて、シナリオ・センターの浅田直亮講師が考案した考え方です。登場人物をつくっていく上で、非常にわかりやすい方法です。

「気が強い性格」ではなくて、「気が強すぎる性格」。「真面目な性格」ではなくて「真面目すぎる性格」。「優しい性格」ではなくて、「優しすぎる性格」という感じです。「○○すぎる」とすることで、キャラクターの輪郭がはっきりします。

「性格」がはっきりすると、キャラクター像が見えてくる

性格がはっきりするだけで、キャラクター像が浮かんできます。

シナリオ・センターが子ども向けに展開している「キッズシナリオ」というプロジェクトの中で、昔話『桃太郎』の桃太郎の性格を変えてみるというワークがあります。試しに、みなさんもやってみましょう。性格が変わることで、浮かんでくるアクション・リアクションが変わることを体感できます。

桃太郎が、おじいさんに鬼退治を頼まれます。そのリアクションを考えてみてください。

おじいさん「桃太郎、お願いだ。村のために、鬼退治に行ってくれ」

「気が強すぎる性格の桃太郎」なら？ ⇩ 「は？ そんなの余裕だけど」「えぇ～ちゃんと褒美とか、用意しといてよ」

「真面目すぎる性格の桃太郎」なら？ ⇩ 「村のため、最善を尽くします」「わかりました。つきましては、保険など加入できますか？」

「臆病すぎる性格の桃太郎」なら？⇩「え、え？　ぼくですか？」「（布団をかぶりながら）いやですよ～無理ですよ～」

リアクションのセリフは、キッズシナリオに参加した小学生が考えたものです。どうでしょうか。性格をはっきりさせるだけで、キャラクター像もはっきりします。はっきりするというのは、アクション・リアクションが浮かぶということです。「○○すぎる性格」を起点にキャラクターを考えると、キャラブレもなくなります。

「○○すぎる性格」とすると、コメディチックになってしまうことを気にする方がいます。ジャンルやトーンに合わせて、「○○すぎる」の表現の度合いを調整してください。「○○すぎる性格」は、ブレずに発想するための手段の1つと心得てください。

感情は変わるが、性格は変わらない

性格は、いったん決めたら、物語の中で変わることはありません。「感情は大いに変わるが、性格は変わらない」と、新井一が言うように、物語の途中で、性格が変わってしまうと、キャラブレの原因になります。

「気の弱すぎる主人公が、勇気を出して敵に立ち向かう場合、それはキャラブレなのでしょうか」と質問されたことがあります。たしかに、そういうシーンはあります。

この場合、そのシーンをよく観てみてください。主人公が「ここは勇気を出さないと」と決意するまでと、勇気を出しているその姿に、気の弱さが出ているのです。ぶるぶる震えたり、目をつむったりして、敵に立ち向かっているはずです。行動や感情は変わっても、登場人物の性格は変えない、というのが鉄則です。

登場人物に「憧れ性」と「共通性」を持たせる

「〇〇すぎる」をキーワードに性格を考えたら、次に、「憧れ性」もしくは「共通性」を考えます。人間は多面的ですが、登場人物を多面的に描いてしまうと、観客・読者は混乱します。二面性で十分です。

憧れ性とは、観客・読者が登場人物に対して憧れてしまう面で、共通性とは、自分と同じだなと思う面です。どちらから先に考えてもかまいません。

ただし、重要なポイントがあります。ここでズレが発生すると、キャラクター設定が難航します。次の文は、とても重要です。マーカーのご準備を。

憧れ性と共通性は、性格に紐づけて考えるべし。

必ず「こんな性格だから、こういう憧れ性が考えられるな」「こんな性格だから、こういう共通性が考えられるな」と発想してください。性格に紐づいて、憧れ性と共通性がつくられることで、キャラクターに軸が生まれます。

「憧れ性」は内面的な気質を考える

憧れ性とは、観客・読者が登場人物に憧れを抱く面です。自分にはできないことをできる人に、私たちは憧れを抱きます。それこそ、自分には生み出せないような作品を書く作家に、憧れを抱くのと同じです。

憧れ性を考えるポイントとしては、人物の内面的な気質を考えることです。「誰にでもはっきりと意見を言える」や、「どんなときも落ち込まない」などです。

例えば、アクションものの主人公を考えるとします。「正義感が強すぎる性格だから、弱者を放っておけない」とすると、どんなに相手が強くても、身をていして弱者を守ろうとする登場人物のキャラクターが見えてきます。

憧れ性を、特技や特長と混同してしまうことがあります。注意が必要です。仮に、憧れ性を「柔術の使い手」や「銃の腕がピカイチ」「ヒーローに変身できる」などにした場合、性格と紐づけたときに違和感が生まれます。「正義感が強すぎる性格だから、柔術の使い手」「正義感が強すぎる性格だから、ヒーローに変身できる」では、性格と結びつきません。

「共通性」は観客・読者との距離を縮める

次に共通性です。共通性があることで、観客・読者は登場人物に感情移入ができます。共通性は、とても重要です。

例えば、天才的なバッターである野球のイチロー選手。世界でも活躍し、打席に立てば、４割近い打率を誇ります。練習熱心で、試合中もクール。表情ひとつ崩しません。憧れ性は十分ですが、親近感は湧きません。

そんなイチロー選手が、国際試合で負けたときに、かつてないほど悔しがりました。その姿がテレビ中継で放送され、「あの天才も自分と同じように、うまくいかないと悔しいのか」と、多くの方が共通性を感じました。イチロー選手の人気が、さらに高まったのは、言うまでもありません。人は親近感が湧くと、感情移入するのです。

ひそかな願望なり憧れを満たしてやる人物を描けば、魅力が出るかというと、必ずしもそうではありません。

それだけでは実は感情移入できないのです。（中略）

では一体どうすればいいかと言うと、観客と共通な像を、その憧れを持つ主人公にも持たせるのです。

新井一『シナリオの基礎技術』（ダヴィッド社）

登場人物に共通性をつくるのは、観客・読者と登場人物の間の距離を縮めるためです。思い出してください。登場人物をつくる目的は、観客・読者を感情移入させるためです。そのキーになるのが、共通性なのです。

共通性をつくるときのポイントも、性格と紐づけることです。「こんな性格だから」と発想してください。

「正義感が強すぎる性格だから、人とぶつかりがち」「正義感が強すぎる性格だから、頼まれたら引き受けがち」などになります。

共通性を考える上で、注意が必要なことがあります。それは、共通性を短所と考えてしまうことです。共通性には、短所の意味合いも含まれますが、「短所を考えればいいんだな」と理解してしまうのは、間違いです。短所に感情移入できるわけではありません。短所を考えるのであれば、人間には誰しも短所や欠点があるので、観客・読者が「自分にも同じようなところがあるな」「人間って、そういうところがあるよね」と親近感を持つかどうかを基準にしてください。

性格・憧れ性・共通性を組み合わせて軸をつくる

性格を考えたら、憧れ性と共通性を紐づけながら考えます。

「○○すぎる性格、だから憧れ性は、△△。なら共通性は、××しがち」

「○○すぎる性格、だから共通性は、××しがち。なら憧れ性は、△△」


『ローマの休日』アン王女なら、「好奇心が旺盛すぎる性格だから、憧れ性は、新しいことに挑戦できること。なら共通性は、後先を考えずに行動しがち」なキャラクター。

『となりのトトロ』草壁サツキなら、「真面目すぎる性格だから、共通性は、何でも抱え込みがち。なら憧れ性は、相手のことを尊重できる」キャラクター。

『ゴッドファーザー』マイケル・コルレオーネなら、「冷静すぎる性格だから、憧れ性は、感情に流されず行動できる。なら共通性は、人を傷つけがち」なキャラクター。


この3つの要素が、感情移入できるキャラクターづくりの第一ボタンです。ここが軸になります。3要素がバラバラにならないように、考えてください。

性格・憧れ性・共通性の組み合わせ方

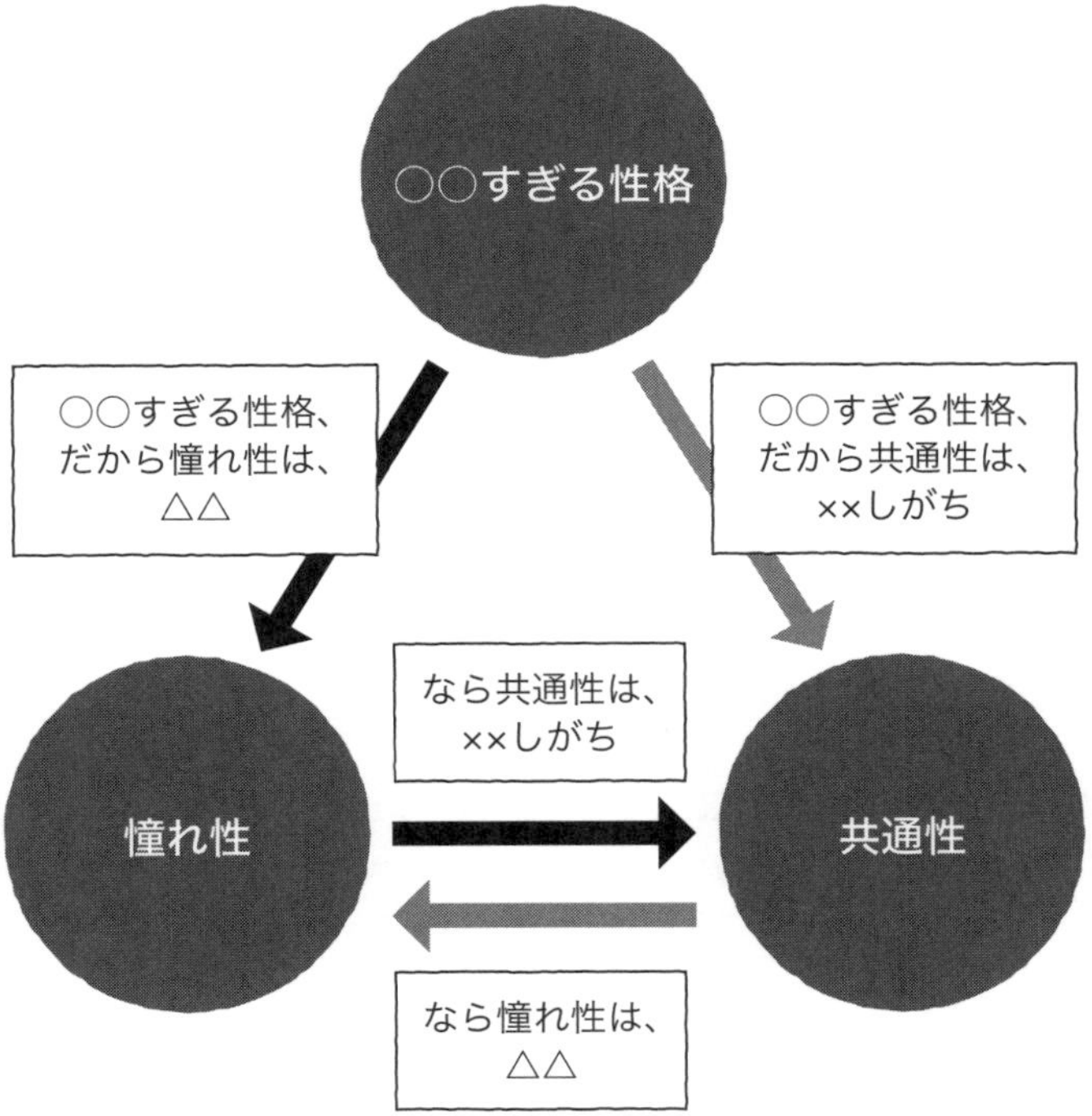

Section

5

正しい履歴書のつくり方

履歴書をつくって失敗する原因

魅力的な登場人物をつくるための正しい履歴書のつくり方をお伝えします。わざわざ「正しい」とまで書いています。我ながら大胆です。

「登場人物の履歴書をつくれ！」とよく言われます。ですが、実践している方の多くが苦しんでいます。理由は簡単で、キャラクター設定をいきなり事細かに考えてしまうからです。

あるゲーム制作会社で研修をした際、事前に資料として制作しているゲームのキャラクター設定表をもらいました。その設定表は、事細かに項目があって、文字もびっしり埋められているのですが、そのシートから一体どんな人物なのか、まったく見当がつきませんでした。その会社の悩みが、ディレクターとライターとの間で、キャラクターの認識がズレてしまう、というものだったのも納得です。

履歴書をつくること自体に、問題があるわけではありません。履歴書のつくり方に問題があるのです。そこで、「正しい履歴書のつくり方」なのです。

方法は、簡単です。キャラクターの軸となる性格・憧れ性・共通性を考え、それにすべての要素を紐づけていくのです。

登場人物の履歴の考え方

まず、「キャラクターの軸」となる性格と憧れ性、共通性を考えます。すべてのスタートはここからです。キャラクターの心臓部です。

「キャラクターの軸」という心臓部ができたら、そんな心臓部を持つ人物の頭脳「精神・内面」の要素、そんな頭脳を持つ人物の「特徴・嗜好」「容姿・生活」の身体的な要素、それらの要素を持つ人物ならではの「エピソード」を考えます。

139ページの図で注目してほしいのは、上から下に行くにしたがって、抽象から具体へと変化をしている点です。具体的になるほど、登場人物の身体性が伴います。

それぞれの要素は、様々な項目によってできています。「キャラクターの軸」をつくったら、あとはどの要素の、どの項目を考えてもかまいません。図の右側にある矢印のように、各要素を行き来しながら、履歴の項目を考えてください。

例えば、「この『キャラクターの軸』の人物なら、『精神・内面』の要素の『気質』の項目は、こうではないだろうか、そうなると『特徴・嗜好』の要素『言葉遣い』は、断定的な言い方をしそうだな。だったら『容姿・生活』要素の『習慣』では、毎朝決まった飲み物を飲んでそうだな、その『エピソード』があるとするなら、こんなかな。となると、『キャラクターの軸』を踏まえて『住居・収入』は、ある程度の部屋になりそう。なら、『教養』に特徴がほしいな」と「キャラクターの軸」と紐づけながら、人物像のイメージを具体化していきます。

この方法であれば、どこまで細かく考えても、「キャラクターの軸」から外れることはありません。

注意点が1つあります。履歴書の項目を埋めることを目的にしてはいけません。履歴書をシートにしない理由も、そこにあります。シートにすると、どうしても埋めた

シナリオ・センター式「履歴書のつくり方」

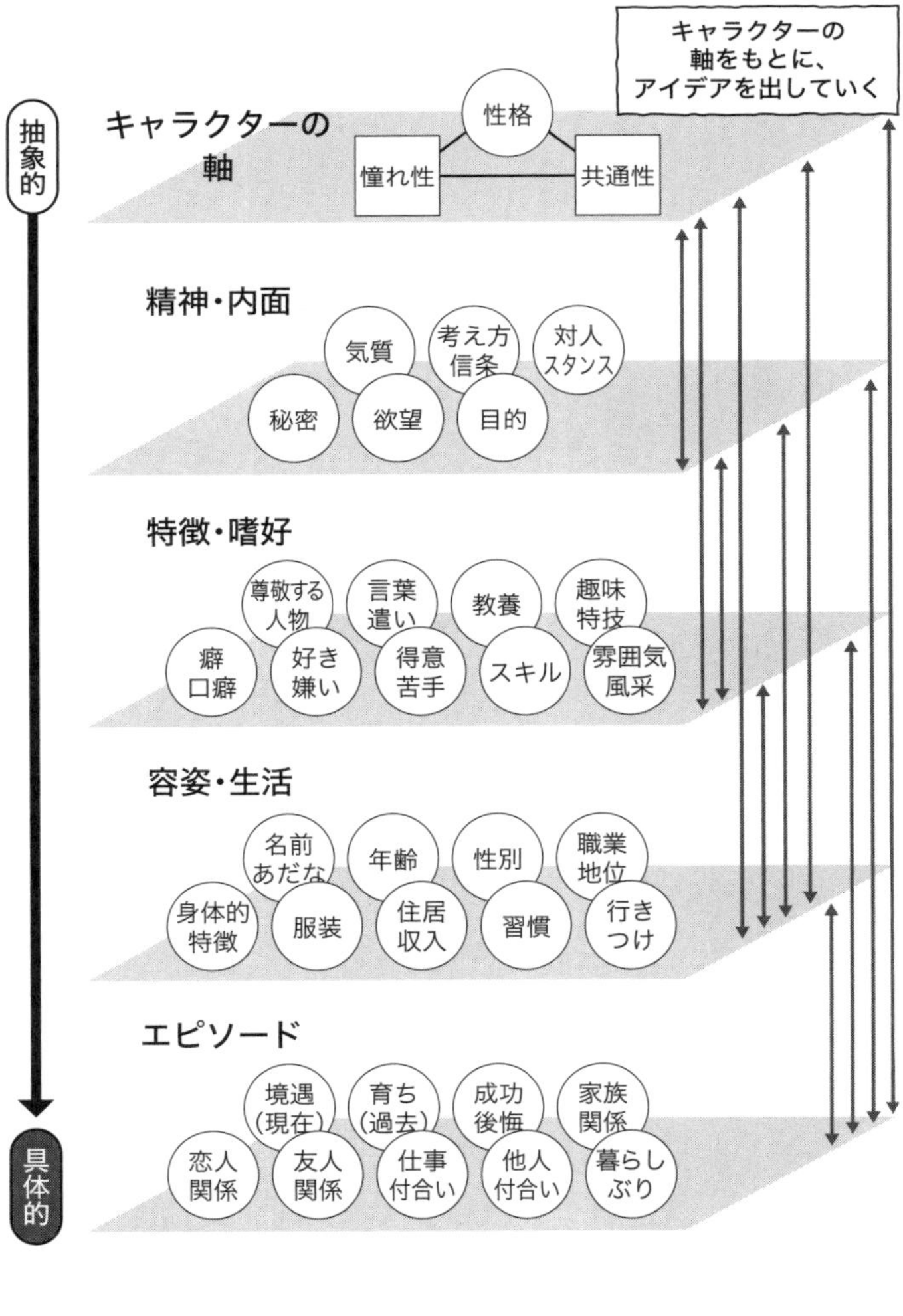

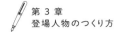

くなります。埋めても登場人物の行動がイメージできなければ、意味がありません。
あなたの中で、登場人物のイメージが湧き、アクション・リアクションが思い浮かび出したら、履歴書が完成したと判断してよいでしょう。アクション・リアクションが浮かび出すまで、いろいろな項目を考えてください。

登場人物は「欲望」を持っている

登場人物の欲望も、履歴書に加えてください。人間は、感情の動物ですが、一時の感情はすぐに冷めてしまいます。そこで、登場人物の欲望をはっきりさせます。「バカにしやがって」という感情は、「いつか、あいつを見返してやりたい」という欲望によって持続します。

「二世議員にろくな奴がいない」（感情）⇩「この国の政治を変えたい」（欲望）
「あの子のことが、好き」（感情）⇩「あの子を幸せにしたい」（欲望）
「どうして私がこんな目に」（感情）⇩「貧困から抜け出したい」（欲望）

欲望があるから、登場人物が行動をし始め、その行動に対する障害によって、葛藤が生まれます。障害を乗り越えるのも、欲望があるからこそ、です。

欲望には、３つの種類があります。

①社会的欲望、**②個人的欲望**、**③生理的欲望**です。

社会的欲望としては、「世界を平和にしたい」「天下を統一したい」「病気で苦しむ人を減らしたい」などが挙げられます。

個人的欲望は、範囲が広くなります。個人は社会とつながっているので、社会的欲望との境目は曖昧です。「仕事で成功したい」「昇進したい」「美味しいものが食べたい」「家族を守りたい」「お金持ちになりたい」などです。

生理的欲望は、生存に関わるものです。死に直面してなおも生きたいというものから、お腹が空いたから、何か食べたいという一過性のものまであります。

「～したくない」という欲望もあります。「恥をかきたくない」「部活を辞めたくない」「あの子と別れたくない」などです。

物語の進展によって、欲望が強くなっていくことで、主人公と物語を、強く突き動かしていくことができます。「〜したい」という欲望を、「〜しなければならない」という欲望へと強化させる方法です。

例えば、「戦場から生きて帰りたい」という欲望が、亡くなった戦友から家族への手紙を託されたことで、「生きて帰らなければならない」という欲望へと変わります。主人公の欲望が、強化されるのです。欲望が強化されれば、その分だけ主人公を待ち受ける障害も、葛藤も強くなります。

登場人物にどのような欲望を持たせるかは、物語の設定によって変わります。登場人物の原動力としてふさわしい欲望を選びます。欲望がうまく設定できれば、そこから登場人物が動き出します。

主人公の秘密を考える

必須ではありませんが、物語の設定によっては、主人公に「秘密」を持たせると、観客・読者を惹きつけることができます。

人は誰しも、人に言えない「秘密」を持っているものです。実は一昨日からお風呂に入っていない、という一過性のものから、育ちに関するもの、過去の失敗、失恋の記憶、自分の性格に関する悩みなど、現在の自分に影響をおよぼしているものまで様々です。

主人公に秘密があると、観客・読者はその秘密が気になります。物語のどこかで明らかになるのを期待します。例えば、刑事もので、主人公が周りから「相棒殺しのくせに」と陰口を言われていたら、真相が気になります。

「秘密」を持たせることと、「欲望」を持たせることに共通して必要となるのが、その秘密や欲望を、登場人物がどのようにして持つに至ったか、という背景です。ここに理由づけがないと観客・読者は納得しません。

考えた背景すべてを、物語の中で明かす必要はありません。ですが、作者であるあなたの中で、登場人物の人物像を掴んでおくためにも、登場人物が秘密や欲望を持った背景を考えてください。

📖 登場人物の名前にもキャラクターを反映させる

名前は、キャラクターをつくる上でも、表現する上でも重要です。登場人物に名前をつけるときは、漢字の意味や音の響きなどに、キャラクターを出してください。

例えば、同じ「はなこ」でも、「花子」の場合と、「華子」の場合では、印象が異なります。「新井」よりも「伊集院」や「西園寺」のほうが、不思議なものでお金持ちのニュアンスが出ます。気の強すぎる性格であれば、「小西」「細川」よりも「大門」や「郷田」のほうが、ふさわしい印象になります。繊細なら「小夜」、明るいなら「陽菜」、元気なら「健太」、真面目なら「公平」など、名前にキャラクターを出します。

名前は、小説やマンガであれば、たびたび読者が目にします。映画やテレビドラマであれば、耳にします。名前から、キャラクターのイメージが観客・読者に暗示できます。さらに、作者自身が登場人物のキャラクターを常に意識できます。キャラブレ防止になります。

どうしても思いつかないときは、赤ちゃんの命名辞典や、既存の作品の人物名も参考にするとよいでしょう。

Section 6

登場人物の関係性のつくり方

人物関係も考える

登場人物それぞれのキャラクターを考えたら、次に考えるべきは、登場人物同士の関係性です。登場人物のキャラクターを考えただけでは、物語は動き出しません。

登場人物は、登場人物同士のぶつかり合いの中で、それぞれの感情が生まれ、アクションとリアクションが発生します。人間生活は、単独では動きません。社会的なつながりと、お互いに抱いている感情が、ドラマを進展させるのです。

私たちの生活でも、一日中、誰にも会わなければ、何も起きません。

想像してください。あなたは一人暮らしの大学生です。そこに、インターフォンが鳴ります。

あなたは誰だろう、と玄関を開けます。すると、ニコニコしながら友人が立っています。手にはお酒とおつまみの入った袋。あなたは驚きながらも、うれしくなって部屋の中に招き入れ、宅飲みが始まります。

別の人物だったらどうでしょうか。インターフォンが鳴ります。玄関を開けると、ゼミの同級生が立っています。そこまで親しくありません。あなたは怪訝な顔を向けて、「どうした?」と玄関先で問いかけます。

また別のパターン。インターフォンが鳴ります。玄関を開けると、仲のいい友人と一緒に、意中の相手が立っています。

3パターンそれぞれ、異なる態度が生まれるはずです。

人と人には、必ず関係性があります。同じ友人という括りでも、5人いれば、5通りの関係性があります。物語の中でも、人物関係によって登場人物のアクション・リアクションは変わります。現実も物語も、一緒です。

人物関係は、社会的関係性と内面的関係性がある

人物関係を考えるときには、2つのポイントを考えてください。

社会的関係性と、内面的関係性です。
社会的関係性とは、友人同士の関係、恋人関係、上司と部下の関係、ライバル関係などを意味します。社会的関係性は、物語の進行に沿って、変化することもあります。恋人関係が、夫婦関係になる、という感じです。

内面的関係性は、登場人物それぞれが相手に抱いている感情です。社会的には、恋人関係であっても、いつも一緒にいたい側と自分の時間は好きにしたい側、という違いがあったりします。内面的関係性は、物語が進行しても大きく変わりません。
社会的関係性と内面的関係性は、人物設定を考える初期の段階で考えます。

人物関係 ＝ 社会的関係性（変化あり）× 内面的関係性（変化なし）

例えば、太郎と次郎の社会的関係性が、ライバル関係だとします。その2人の関係が、共通の敵を前に、仲間関係に変化します。ですが、内面的関係性として、太郎は次郎の真面目なところが苦手で、次郎は太郎の計画性のないところが苦手だとします。すると、仲間関係になっても、仲よくはしません。内面的関係性が変わらないからです。あるシーンにおいて、２人が協力したとしても、次の瞬間には背を向けるなど、内面的関係性から生まれるリアクションで、もとの内面的関係性に戻ります。

ただし、物語の進行に沿って、内面的関係性が、決定的に変化する場合もあります。それは、主人公が、ある人物との内面的関係性を克服することが、物語のテーマに関わる場合です。

例えば、主人公である母親が、娘に本音を言えない、という内面的関係性を持っていて、クライマックスで初めて本音を語る場合は、内面的関係性が変化します。母親の変化が描かれ、物語は終焉を迎えます。このような場合は、内面的関係性は、物語の最後の最後でのみ変化します。

物語を書きたくて、うずうずしているときには、まどろっこしく感じるかもしれませんが、人物関係は、シーンに多大な影響をおよぼします。人物の履歴書をつくったら、合わせて、人物関係図もつくるようにしてください。

シナリオ・センター式「人物関係のつくり方」

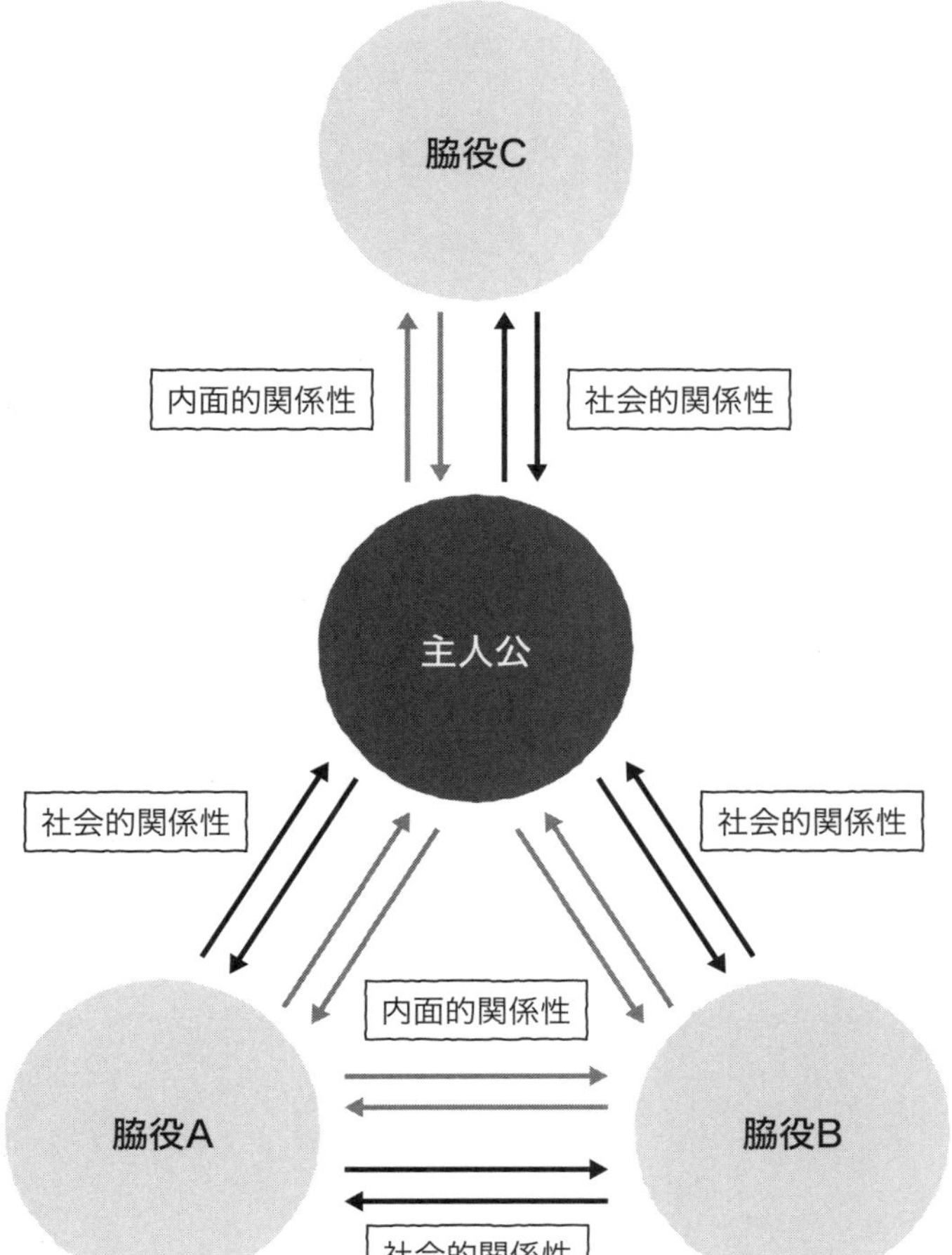

Section 7

登場人物を描き分ける

登場人物は3種類に分けられる

登場人物の種類は、主人公、脇役、端役の大きく3種類です。これらは、ジャンルを問わないと考えてください。映画やテレビドラマの場合、道を歩く人や、喫茶店にいるお客さんなど、セリフのないエキストラが加わります。マンガでは、エキストラとは呼びませんが、モブキャラと呼んだりします。

登場人物の描き分けは、地味なことですがとても大切です。なぜなら、描き分けができないと、主人公よりも脇役が活躍してしまう、世に言う「脇役活躍しすぎ問題」が発生するからです。また、チョイ役が妙に気になってしまう「チョイ役でしゃばり問題」も発生します。こういった問題を「まぎれ」と言います。主人公が、ぼやけてしまうのです。

主人公はラウンドキャラクター

主人公の役割は、物語を進めていくことです。観客・読者は、主人公の行動を追いかけながら、物語を味わいます。

主人公には、魅力ある人物像が求められます。主人公は、1人の場合もあれば、2人の場合もありますし、さらに多くなる場合もあります。物語に応じて、人数は変わります。

主人公は、ラウンドキャラクターで描きます。ラウンドキャラクターというのは、円のように丸いという意味です。「公私のどの面から見ても、完全なキャラクター（個性）を持った人物」です。

例えば、主人公がビジネスパーソンなら、主人公が働く職場が、「公」のパートです。職場での問題の発生や活躍、足の引っ張り合いなど、公の部分での主人公の姿が描かれます。

それとともに、「私」の部分も描かれます。職場以外での主人公の姿です。家での姿、いつも立ち寄る居酒屋での姿、週末にリフレッシュのためにするテニスの姿などです。主人公には、様々な角度から光が当たります。どこをどう描くかで、主人公としての魅力を表現できるかは、作者の腕の見せ所です。

主人公の「公」と「私」を、どう描くのかは、物語のテイストにもよります。シリアスな社会派のドラマで、主人公の家庭内の話が多くては、観客・読者は冷めてしまう場合もあります。例えば、社会派のドラマで、主人公が何日も家に帰らず、国会議員の汚職を暴くための取材に奔走するのが「公」のパートだとします。主人公が、事務所に戻ると、クリーニングに出されたワイシャツが届けられていたとします。「私」の部分です。たったワンシーンだとしても、このシーンがあることで、主人公の仕事を後押しする存在があることが、観客・読者に伝わります。

「公」と「私」があるかどうかというのは、主人公と脇役を描き分けるポイントです。

脇役は、セミラウンドキャラクター

脇役は、読んで字の如く、主人公の脇にいる人物です。主人公と一緒に、物語すべてに登場する脇役もいれば、物語にときどき登場する脇役もいます。

主人公の友人とか、恋人とか、親兄弟、上司や部下、チームの仲間やライバルなど、様々な形で登場します。

脇役の役割は、主人公の考え方や感情を刺激したり、対立したりして、主人公のキャラクターや考え方、感情をはっきりさせることです。物語の進行にも、一役買います。脇役の使い方がうまいと、主人公がいきいきと動いたり、主人公の悩みが深まったりと、主人公が引き立ちます。


脇役は、セミラウンドキャラクターで描きます。主人公が円形なのに対して、脇役は半円形です。半分だけ完全なキャラクターと言えます。

では、何に対して半分だけ完全なのでしょうか。脇役は、主人公と関わる部分において、完全な人物です。

先ほど例に挙げた主人公にとって、職場の同僚なら「公」のパートの脇役です。家族や学生時代の友人なら、「私」のパートの脇役です。

脇役は、主人公と関わるシーン以外では、基本的に描かれません。主人公の同僚が、家に帰って、奥さんに愚痴を言うようなシーンが入ってくると、脇役ではなく、主人公になります。ラウンドキャラクターになるからです。脇役にこういうシーンをつくってしまうと、「まぎれ」が生じます。

だからと言って、主人公と一緒にいるとき以外を描いていけないわけではありません。主人公の出世をねたむ上司から、主人公を陥れるような指示を受ける、そんな脇役の姿が描かれることもあります。ですがこれも、あくまで主人公に関わりあるシーンとして描いてください。

このような形で、脇役を描くシーンが入ると、思わず脇役の行動のほうを描いてしまうことがあります。いわゆる「脇役活躍しすぎ問題」です。初心者が犯しやすいミスの1つです。注意してください。

脇役はセミラウンドで描く、ということを忘れないようにしてください。

端役は、フラットキャラクター

端役は、ある状況の時だけキャラクターを持つ人物です。そのシーンにはどうしても必要だけれど、物語の進行にはあまり影響は与えません。

３つのキャラクターの違い

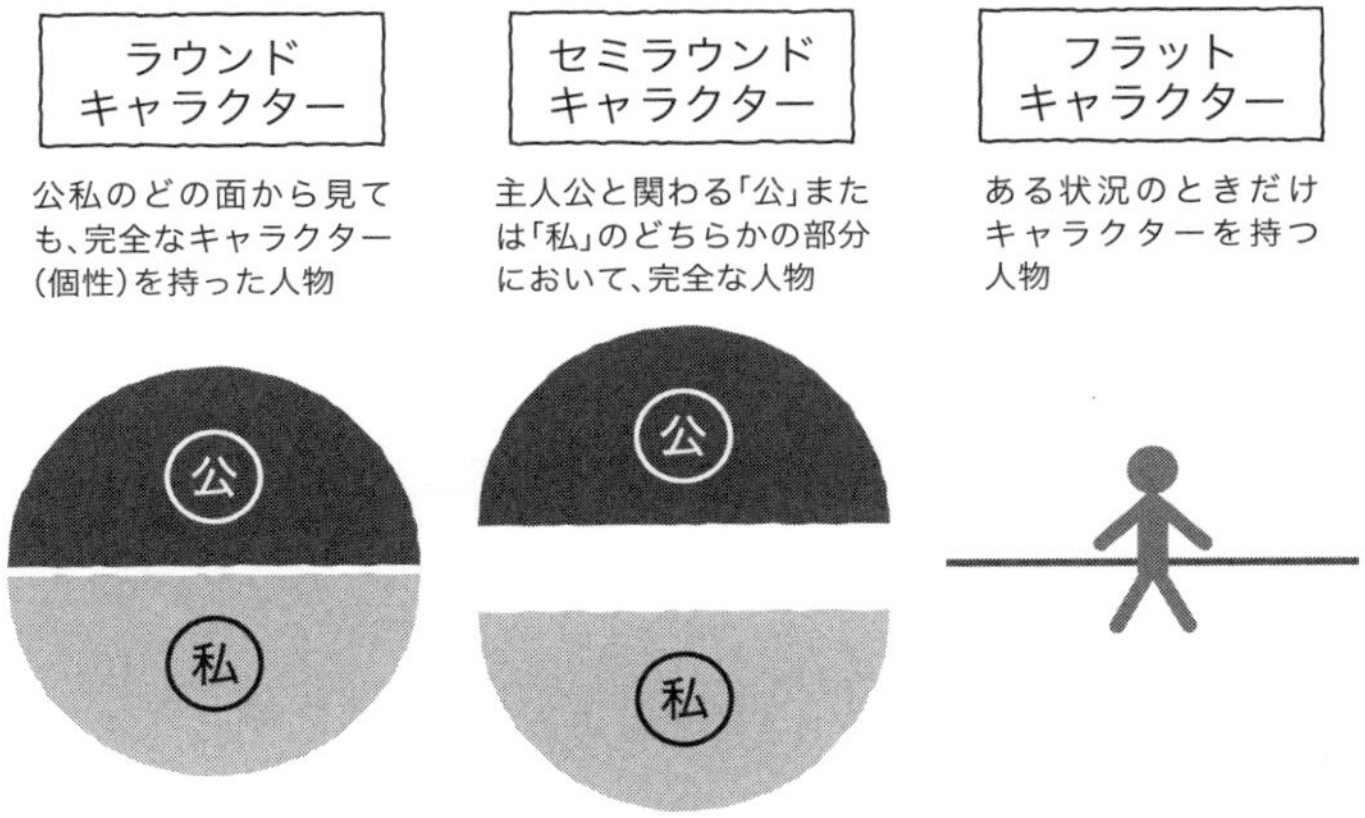
ラウンド
キャラクター
公私のどの面から見ても、完全なキャラクター（個性）を持った人物
公
私
セミラウンド
キャラクター
主人公と関わる「公」または「私」のどちらかの部分において、完全な人物
公
私
フラット
キャラクター
ある状況のときだけキャラクターを持つ人物

端役には、セリフがあります。エキストラとの違いは、セリフの有無です。

端役は、フラットキャラクターで描きます。扁平《へんぺい》人物とも言います。

先の例であれば、主人公の職場の食堂のスタッフや、主人公がよく行く居酒屋の店員などです。脇役のように、主人公と共に行動することはありません。主人公が行った先にいる人物です。

端役が身の上話などを始めてしまうと、観客・読者は重要な人物なのかな、と勘違いしてしまいます。「チョイ役でしゃばり問題」という〝まぎれ〟が生じます。気をつけましょう。

3種類の登場人物を、描き分けるイメージはついたでしょうか。物語に登場するすべての人物は、魅力的にする必要があります。だからと言って、すべての登場人物を、はっきり描く必要はありません。重要な主人公を浮かび上がらせるための人物配置を考えてください。

人物描写だからといって何でもはっきり描写しなければいけないっていうのは大間違いです。

絵でもそうです。重要なところははっきりと描きますが、木の葉や、遠くの人物等は、はっきり描きません。遠くの人ももちろん人間ですから、目鼻立ちがあり生活はある訳ですが、省略します。そうすることによって重要なものを浮かび上がらせるのです。

新井一『シナリオの基礎技術』(ダヴィッド社)

第 4 章

物語の構成の立て方

Section

1

構成は型を破るためにこそ身につけるべし

すべての創作に使える映画やテレビドラマの構成術

物語のつくり方も、終盤に差し掛かってきました。ここからは、構成のお話です。構成の役割は２つ。物語の一行目からエンドマークまで、主人公が歩いて行く道をつくることとです。そして、観客・読者をエンドマークまで魅了し続けることです。構成術は、映画やテレビドラマではかなり探求されています。すべての創作に活用できるので、手の内に入れてもらえたらと思います。

構成はクリエイティブを邪魔するのか

構成を考えるべし、とは、様々なところで言われていますが、「構成って、ちょっと苦手」という方もいるのではないでしょうか。ゲーム制作会社での研修でも、参加者の方から「クリエイティブに考えるほうが好きなので、構成のようなロジカルな考え方は苦手で……」と言われたことがあります。


本書をお読みの方の中にも、次のような方はいらっしゃるでしょう。

「構成を考えてみるけど、結局よくわからない」

「ストーリー展開は、なんとなく考えてみるけど、構成まで考えていない……」

「とにかくインスピレーション！　思いのままに書いている」


構成が苦手だという方は、こんな経験があるのではないでしょうか。

思いのままに書いてみるが、手が止まる。何とかしようと構成を考えてみる。が、うまくいかない。結果「やっぱり構成なんて意味がない」と思い込む。こんな悪循環を繰り返し、構成にまつわるトラウマを抱えてしまったのかもしれません。

構成は、創作における唯一のロジカル思考

構成というのは、創作というクリエイティブな行為の中で、ロジカルに頭を使いま

す。構成を理解すると、物語はいまの百倍つくりやすくなります。なぜなら構成は、クリエイティブを制限するものではなく、あなたのクリエイティビティを解放するものだからです。

構成術なしで創作に臨むというのは、暗い洞窟の中を、目を凝らしながら進むようなものです。つまずいたり、引き返したり、何とか頑張りますが、途中で足をくじいて動けなくなってしまいます。

一方、構成を理解していると、あなたは、洞窟の中に松明《たいまつ》を持って進めます。道に迷っても、松明を照らして、進むべき道を見つけることができます。

構成とは、松明です。あなたが主人公とともに歩むべき道を照らしてくれます。

📖構成を味方につける

構成はロジックだと、お話ししました。では、ロジックとは何かについて簡単に説明します。

想像してください。ここに、猫がいます。

この猫は、飼い主のことを、飼い主だと認識できているでしょうか？　猫好きな方、猫を飼っている方なら、「そりゃできてるでしょ」と鼻で笑うところです。ですが、猫嫌いな方ならどうでしょうか。「猫なんて、わかってないんじゃない？」と思うかもしれません。

この猫問題、とある大学で、大真面目に研究されました。その結果、「猫は飼い主を認識している」という結論に至ったのです。猫好きな方でも、嫌いな方でも、この結論に至る過程をたどれば、「猫は飼い主を、きちんと判別している」ことがわかります。

個人の感覚的なものをクリエイティブだとすれば、誰でも、同じ結論にたどりつくことができるものが、ロジックです。

構成を使いこなすことができれば、「誰でも」「確実に」「何度でも」「最低限」面白い物語がつくれるようになります。３回くらい復唱したいほどです。

「最低限」から「最高に」面白い物語にするのは、そう、ロジックとあなたのクリエイティブが、掛け算になるときです。

Section 2

起承転結を使った構成の立て方

起承転結の機能を押さえる

ひと口に構成法と言っても、「序破急」や「起承転結」、「ハリウッド式三幕構成法」など様々です。とはいえ、中身はそれほど変わりません。自分にしっくりくる構成法を活用してください。

シナリオ・センターでは、起承転結をもとに構成を説明しています。本書でも、起承転結をもとに解説します。「当たり前な話だな」と思うかもしれません。

ですが、起承転結のそれぞれに機能があることは、知らないのではないでしょうか。

起承転結の機能こそ、みなさんの創作の松明です。長い物語をつくる中で、あなたが「何を考えればいいのか」を教えてくれます。

構成の機能を理解することで、これから主人公を、右に進ませるのか、左に進ませ

3つの構成法

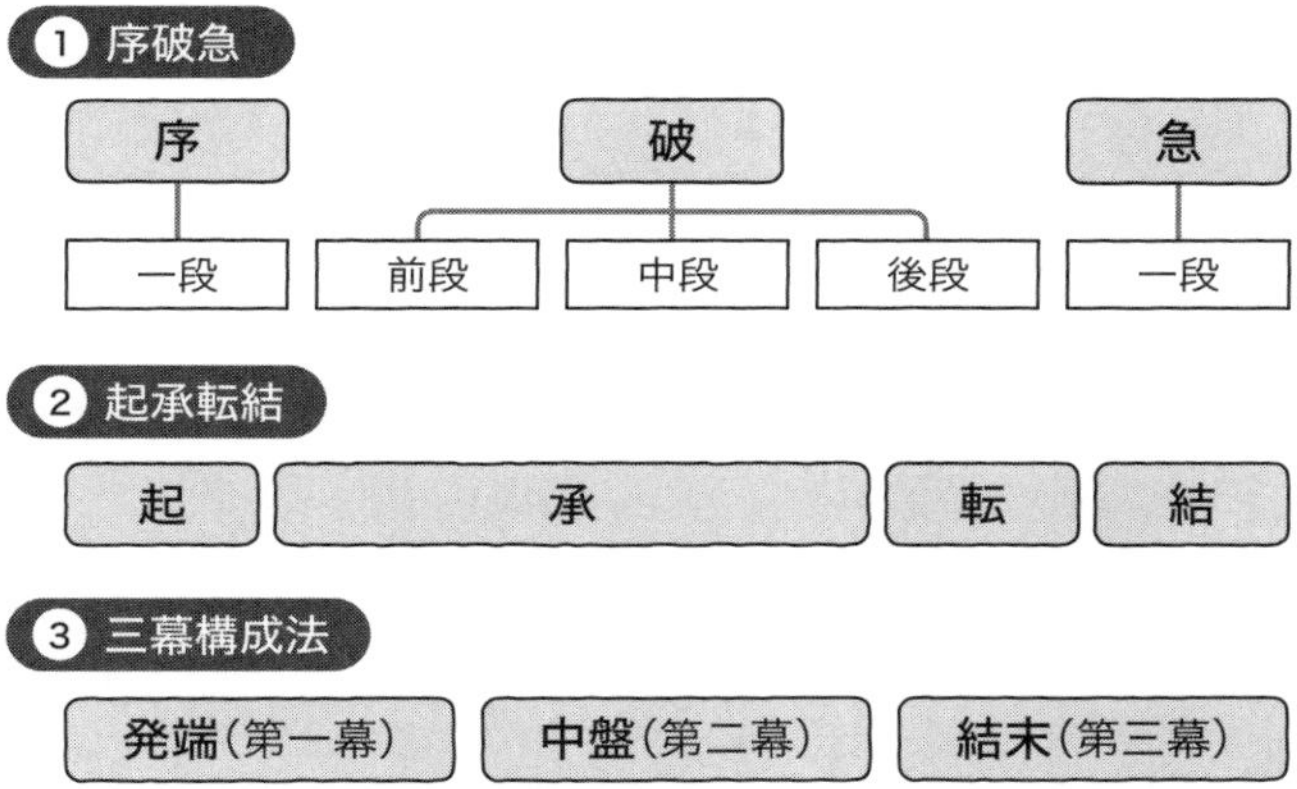

出典：『【改訂版】小説・シナリオ二刀流　奥義』柏田道夫（言視舎）

るのかが明確になります。アイデアを出すポイントを理解することで、主人公を歩かせるのか、走らせるのか、笑わせるのか、泣かせるのか、検討することができます。

起承転結のそれぞれの割合

物語全体の長さを10と考えたとき、起承転結それぞれの割合の目安を押さえてください。

まず、承の割合が一番大きくなります。物語全体の7、8割を占めるのが、承です。2時間の映画なら、84分から96分です。起が一割強くらい、転と結で残り一割強くらいというのを目安にしてくださ

構成の割合

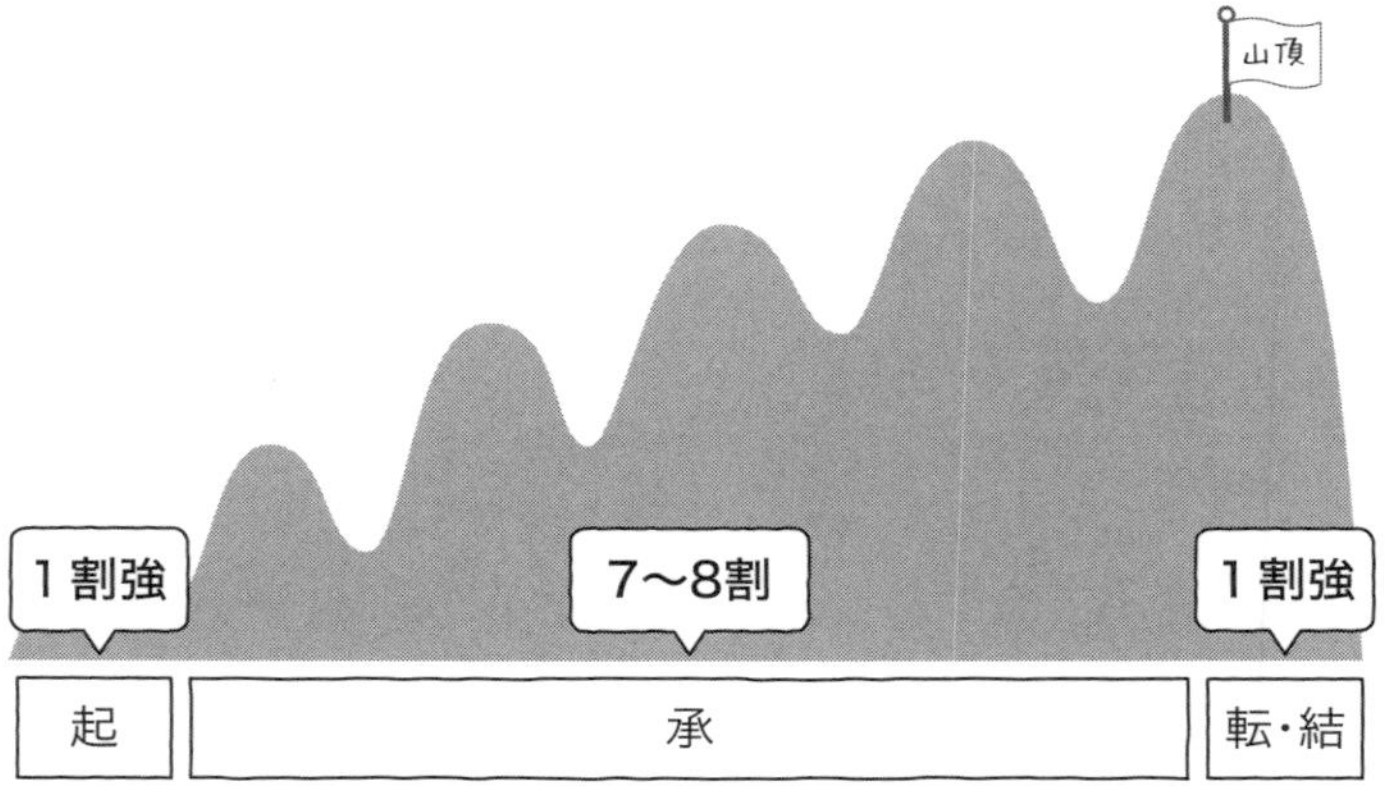

い。もちろん、物語の内容やジャンルによっても異なります。恋愛ゲームなどの場合は、転で一割、結で一割ということもあります。

ですが、あえて起が一割、転・結で一割と言いたいところです。というのも、起と転・結が長いと、物語全体が間延びした印象になるからです。ジャンルの特性を踏まえた意図的な狙いがあればいいのですが、そうではないなら、構成に問題があります。

起承転結のそれぞれの機能を整理していくことで、適正な長さについても理解できます。それぞれの機能を整理していきましょう。

起承転結は「転・結・起・承」の順で考える

「起承転結」の中で一番重要なのは、どこだと思いますか？

「起」だと思う人はいますか。

「起」だと言う方は、「起は、物語の出だしの部分だから、観客・読者を惹きつけるためにも重要だと思う」とおっしゃいます。素晴らしい視点です。

いや、起よりも「承」だ、と思う方はどうでしょうか。

「承は、物語の中で7、8割を占めるし、ワクワクドキドキするところだから、承が重要だ」という意見もあります。たしかに、ここで観客・読者の気持ちを惹きつけていかないと、飽きられてしまいます。

もちろん承は重要だけれども、「転」こそが一番重要だ、と言う方は「転は、クライマックスなんだから」ということでしょうか。頷ける意見です。

最後に「結」だと言う方は、「やはり結末こそ、大事。だから結こそが大切だ」と。

どの意見も間違っていませんが、物語を考えやすい順番は、転・結・起・承です。

構成が苦手な方は、騙されたと思って、この考え方を採用してください。

Section 3

起・承・転・結、それぞれの機能

📖「転」の機能は、テーマを伝えること

ここからは、起・承・転・結のそれぞれの機能について、考えやすい「転・結・起・承」の順に説明していきます。

誰でも知っている、昔話の『桃太郎』を例に説明します。『桃太郎』のお話の流れはこうです。

「桃太郎が誕生」⇩「村が鬼に襲われる」⇩「桃太郎、鬼退治を決意」⇩「仲間が集まる」⇩「鬼ヶ島に向かう」⇩「鬼ヶ島で戦う」⇩「鬼を倒す」⇩「めでたし、めでたし」

まず「転」です。転は、物語のクライマックスです。物語が、一番盛り上がるところです。観客・読者が、涙を流したり、主人公がどうなるのか、ドキドキして見守ったり、意外な事実に驚いたりします。構成の山の一番高いところが、転になります。『桃太郎』であれば、「鬼ヶ島で戦う」から徐々に盛り上がり、「鬼を倒す」場面が最高潮に盛り上がるクライマックスです。

では、転の機能は何でしょうか。転の機能は、観客・読者に物語のテーマを伝えることです。たった1つのテーマを表現するために、物語は綴られます。物語の設定をつくるときに考えたテーマは、起、承を経て、転で観客・読者に伝わるのです。

例えば、テーマを「力を合わせることは大切だ」にしたとします。自分たちよりも圧倒的に力の強い鬼に対して、桃太郎は、サル、イヌ、キジと、ここで初めて力を合わせて戦います。そして、鬼を倒すことに成功します。

もしもテーマが、「勇気を持つことは大切だ」だとしたら、肝心なところで一歩進むことができないでいた桃太郎が、クライマックスで勇気を振り絞り、鬼を倒すというシーンになります。

テーマは、主人公の行動を通して、観客・読者に訴えるものです。主人公の持ち味を最大に発揮して主人公の主人公たるところを見せることで、物語の盛り上がりを利用して、あなたの訴えたいテーマを観客・読者に届けるわけです。

結は、テーマの定着と余韻

転の機能は、テーマを伝えることでした。では、「結」の機能は何でしょうか。

結は、おそらく多くの方が誤解をしています。というのも、結というのが、結論の「結」と同じ漢字なので、ここで結論を伝えるのではないかと思ってしまうのです。

もう1つの誤解パターンは、結を話のオチだと思っているパターンです。4コママンガは、4コマに起承転結がちょうどハマるように見えるため、結はオチだと誤解されがちです。どちらも物語の構成法においては違います。

結の機能は、転で伝わったテーマを定着させることと、テーマの余韻を感じさせることです。結は、構成の中でもっとも短くなります。2時間の映画で言うと、ワンシーン、もしくはツーシーンくらいしかありません。ほんの数分、もしくは数秒ということもあります。

先ほどの『桃太郎』の例で言えば、「めでたし、めでたし」の部分が結です。「力を合わせることは大切だ」がテーマであれば、転のクライマックスで、力を合わせて鬼を倒した桃太郎一行が、お互いに肩を貸し合って、鬼ヶ島を去っていくようなシーンになります。

「勇気を持つことは大切だ」がテーマであれば、勇気を振り絞って鬼を倒した桃太郎に、3匹が顔を見合って驚きながらも、うれしそうに走り寄って、茫然としている桃太郎を担ぎ上げるようなシーンになったりします。

結では、テーマを定着させるシーンを作者が用意することで、観客・読者は、作品世界の余韻に浸れるのです。この時間があることで、観客・読者は、「無事に鬼退治ができてよかった」「仲間っていいなぁ」「自分も一歩踏み出してみようかな」という気持ちになります。この時間をつくるのが、結の機能です。

結がないと、観客はいきなり物語の世界から放り出された気分になります。せっかく感情移入して楽しんでいた作品から、雑に放り出されるのです。

この感覚を身近な例で探してみると、コロナ禍で一時期流行った「Ｚｏｏｍ飲み」

がピッタリとハマります。飲み会が終わって、「じゃあね〜」と退室のボタンを押すと、パソコンのデスクトップが映り、一気に現実に引き戻されます。楽しかった分、退室したあとの味気なさは尋常ではありません。物語でも結が機能不全になっていると、「Ｚｏｏｍ飲み」退室直後の現象が、観客・読者の中で起きてしまうのです。

前述した通り、物語のジャンルにもよりますが、結は、基本的に短いのです。そのため、転と結はワンセットで考えましょう。物語は、転と結に向かって進んでいきます。構成術とは、転と結で観客・読者が感動するように組み立てていくことです。

「起」は伝えるべきことがたくさんある

転・結に向かって、物語は進行していきます。「起」は言うまでもなく、出だしの部分です。書いては消してを一番繰り返すのが、「起」と言えます。

どう書き始めればいいのか、という悩みを持つ方も多いでしょう。機能がわかれば、解決しやすくなります。

まずは、起の機能について、整理していきましょう。起の機能は3つあります。

- 天地人を紹介する
- 物語のジャンル・テイストを伝える
- アンチテーゼから始める

1つ目の起の機能は、「天地人」の紹介です。天地人は、すでに取り上げています。

天：時代・情勢
地：物語の舞台となる場所・土地
人：登場人物

素材のところでアイデアを出した「天地人」を、実際に物語の中で伝えていきます。天地人を伝えることで、観客・読者に向けて、この物語が、どういう時代の、どこを舞台にした物語なのか。そして、登場人物はどんなキャラクターなのかを伝えます。

『桃太郎』では、天地人を次のように紹介しています。

天：むかし、むかし

地：あるところ

人：おじいさんとおばあさん

天地人をしっかり伝えることができないと、観客・読者は物語の世界に入って行けません。天地人を伝えることは、重要な起の機能です。

２つ目の機能は、物語のジャンル・テイストを伝えることです。

これから始める物語が、シリアスな物語なのか、コメディタッチな物語なのか、ジャンルやテイストを、起の段階で伝える必要があります。

観客・読者というのは、これから始まる物語に対して、どういうふうに接すればいいのかを、自然と探っています。おそらく、あなたも知らず知らずのうちにやっています。作者は、起で観客・読者に心の準備をしてもらうのです。戦争ものだとしても、コメディとして描くのであれば、コメディタッチに始めなければいけません。

さらに起で表現したジャンルやテイストは、物語の途中で変えてはいけません。観客・読者が、ついてこられなくなります。もしもサスペンス作品の中に、コメディパートを入れるとしたら、それはワンシーンのエッセンスとして入れるべきです。途中からコメディの要素が強くなる、というような描き方をしてはいけません。

3つ目の機能は、アンチテーゼから始めることです。アンチテーゼというのは、テーマの反対という意味です。

例えば、先ほどの『桃太郎』で言えば、「力を合わせることは大切だ」というテーマを描くのであれば、仲間の力なんて必要ないと思っている主人公、もしくは、仲間の協力は必要だけれども、協力が得られない状況にいる主人公などの姿を描きます。

なぜ、起でアンチテーゼから始めるかというと、物語は主人公の考えや状況などの変化や成長を描くものだからです。変化を描くためには、転で描くテーマに対して、反対となるアンチテーゼから入る必要があります。

「仲間と協力することは大切だ」というテーマに対して、仲間と常に協力して物事を進めていく桃太郎では、クライマックスが盛り上がりません。クライマックスでも、仲間と協力するのですから、誰もが「そうでしょうね」と思うだけです。

さらには、アンチテーゼがないと、承で主人公に生じる障害も描きにくくなります。観客・読者は、主人公が障害にぶつかって葛藤するからこそ、「どうなるんだろう」「どうするんだろう」と感情移入をします。


構成を考える順番を、転・結・起・承とした理由も、ここにあります。転のテーマが決まっていれば、起のアンチテーゼのアイデアが出てきやすくなります。出だしがうまく考えられないという方は、転・結⇩起の順で考えてみてください。

📖「承」では主人公を困らせる

起で始まった物語を、転まで結びつけていくのが「承」です。承の機能は、主人公に障害をぶつけて困らせ、主人公を葛藤させることです。葛藤する主人公の姿は、観客・読者をハラハラさせたり、ドキドキさせたり、ときにはイライラさせたりします。

つまり、承で、観客・読者の感情をどんどん動かしていきます。

障害には事件、事実、事情の3つがあります。「事件」とは、登場人物に降りかかる厄災、うれしい出来事など、突発的なこと。「事実」とは、歴史的事実や、物語内での決まり事。「事情」とは、登場人物が背負っている、もしくは背負わされるものです。事情は人間関係によっても生まれます。

『桃太郎』の承、「村が鬼に襲われる」⇩「桃太郎、鬼退治を決意」⇩「仲間が集まる」⇩「鬼ヶ島に向かう」⇩「鬼ヶ島で戦う」を例に考えてみましょう。


桃太郎の村が鬼に襲われるのが、「事件」です。

次に桃太郎が、鬼退治を決意します。その決意をうながす「事情」があります。おじいさんにどうしてもと頼まれてしまった、初恋の人が連れて行かれてしまった、などです。

「仲間が集まる」は、出会いのシーンを「事件」と「事情」のどちらを使っても描けます。

「鬼ヶ島に向かう」では、海で難破しそうになるという「事件」や、桃太郎は船が苦手という「事情」をつくれます。鬼ヶ島に行くには、潮の流れが激しいところを越える必要があるという「事実」をつくることもできます。

「鬼ヶ島で戦う」は、桃太郎一行にとって鬼の強さは大変な「事件」と言えます。

このような形で、事件や事実、事情を、承に入れていきます。ポイントは、障害によって主人公を困らせることです。

承には、起と転をつなぐ役割があります。そのため、承の障害は、テーマとアンチテーゼに紐づけながら、主人公が困ることを考えてください。そうすることで物語の軸がブレなくなります。

物語の軸をブレないようにする、承のもう1つの機能を紹介します。それは、貫通《かんつう》行動《こうどう》です。貫通行動というのは、自分の欲望を発端として目的を持った主人公が、目的を達成するために、物語の中で取る一貫した行動のことです。

例えば、桃太郎が鬼に襲われて困った村人を助けたいという思い（欲望）を抱き、鬼退治（目的）を決意し、鬼を退治しに行く（貫通行動）わけです。

貫通行動があるからこそ、障害が生まれ、障害が生まれるからこそ、主人公の葛藤や対立が浮かび上がります。そのため、貫通行動は、承の早い段階、もしくは起の段階で明確にしておくべきです。貫通行動については、後ほど詳しくお伝えします。

Section
4

「箱書」は構成を立てる最高のツール

箱書とは

構成の機能を把握したら、次は構成の立て方です。構成の機能を知っているだけでは意味がありません。実際の物語づくりに活かしていきましょう。

そのための最高のツールを紹介します。箱書《はこがき》です。

箱書というのは、頭の中で考えていたアイデアを、物語にまとめるための方法の１つです。構成を考えるときに、箱書をつくることで、物語の流れ全体を見渡すことができます。

箱書は、物語の全体像を把握することができるので、長編に挑戦しようという際には、かなり役立ちます。映画やテレビドラマに関わらず、小説やマンガなどにも活用することができます。

箱書のメリット・デメリット

箱書は、最高のツールではありますが、良い面と悪い面があります。

箱書のメリットは、構成の全体像を把握することができる点です。転のテーマに対して、起はアンチテーゼになっているのか、アンチテーゼから始まった物語がテーマに向かって盛り上がるように、承が構成されているのかなど、物語全体の流れを把握できます。

一方、デメリットは、箱書によってストーリーの流れが見えることで、登場人物をストーリーに当てはめようとしてしまう点です。

先述したように、ストーリーはパターンです。登場人物がストーリーをなぞればなぞるほど、パターン化された人物になります。箱書に対して、否定的な意見は、ここを根拠にしています。

では、箱書にまつわるデメリットが解消できれば、どうでしょう。箱書をつくることで、物語の全体像を把握しながら、登場人物がいきいきと動く、そんな構成が立てられます。まさに、面白い物語をつくるための最高のツールです。

箱書の種類

箱書には、次の3種類があります。

- 大箱
- 中箱
- 小箱

まずは、知識として1つずつ説明しておきます。

大箱は、物語全体の大まかなストーリーの流れ、ストーリーラインを考えます。ストーリーラインというのは、物語のはじまりから結末までの出来事を意味します。

大箱には、その名の通り、大きな流れを書きます。『桃太郎』の例で言えば、「桃太郎が誕生」⇩「村が鬼に襲われる」⇩「桃太郎、鬼退治を決意」⇩「仲間が集まる」⇩「鬼ヶ島に向かう」⇩「鬼ヶ島で戦う」⇩「鬼を倒す」⇩「めでたし、めでたし」を大箱に書きます。

箱書は、地図の役割です。その中でも、大箱は一番大まかな地図なので、細かい情報は要りません。目印になる部分だけを書きます。物語の核になる流れを描いていきます。

オーソドックスな書き方は、箱を8個つくる方法です。箱の数に決まりはありませんが、8箱がおすすめです。あまり箱が多くなってしまうと、ストーリーを細かく考えすぎてしまうからです。あくまで、大箱は物語全体の大まかな流れを掴むもの、と考えてください。

起承転結に、箱を振り分けると、起1、承5、転1、結1です。結1は、結を忘れないように便宜上、振り分けていますが、実際には数シーンしかありません。

中箱は、大箱の中身を書きます。

シナリオの場合は、シークエンスといって、同じ話のまとまりを意味します。小説の場合は、章の中の1話に当たります。

例えば、「桃太郎が誕生」という大箱の中身は、「おじいさんとおばあさんの生活」「おばあさん、桃を拾う」「桃太郎、誕生の瞬間」「桃太郎の成長」という、それぞれの話のまとまりがあります。

『桃太郎』の箱書

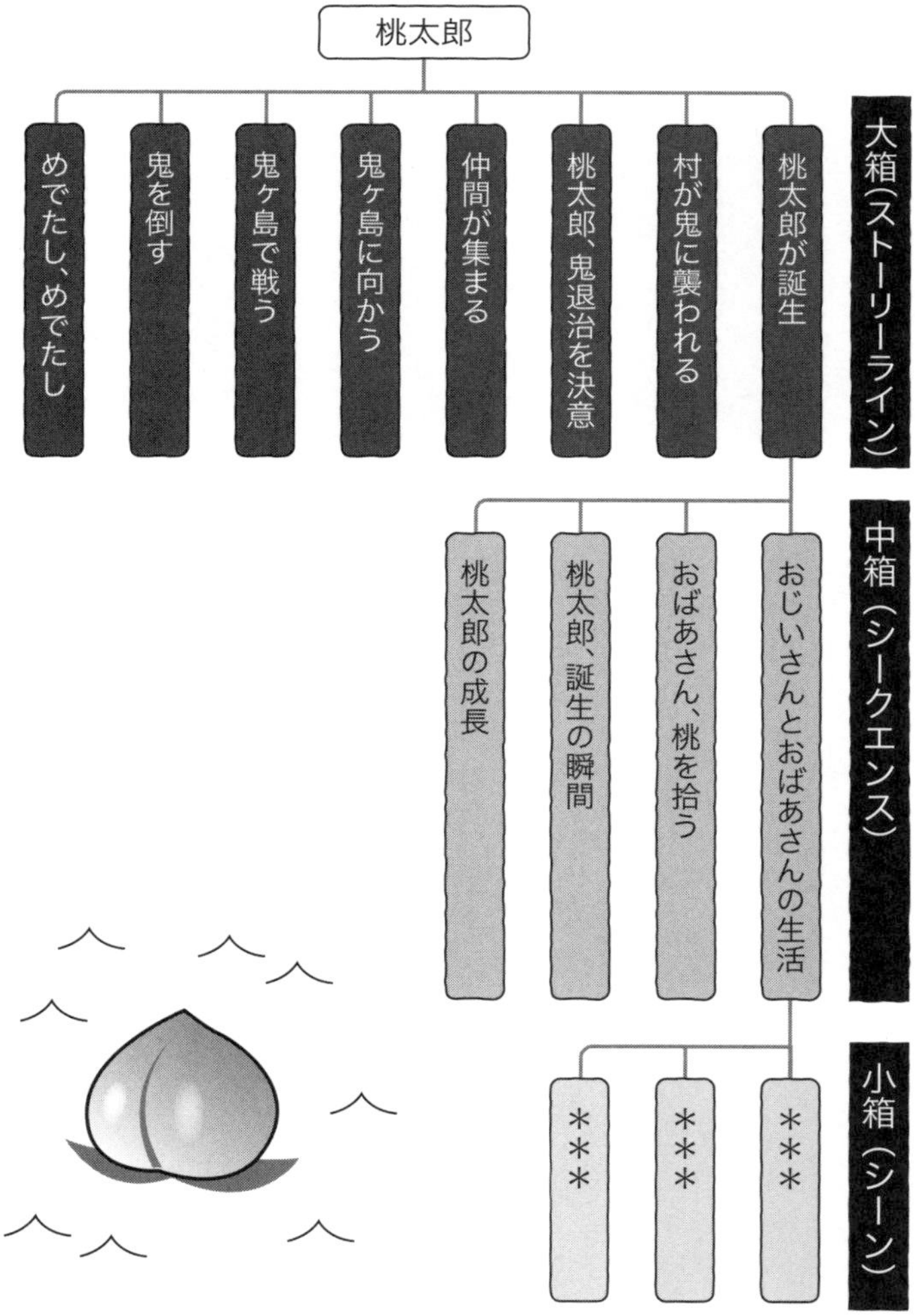
桃太郎
大箱（ストーリーライン）
桃太郎が誕生
村が鬼に襲われる
桃太郎、鬼退治を決意
仲間が集まる
鬼ヶ島に向かう
鬼ヶ島で戦う
鬼を倒す
めでたし、めでたし
中箱（シークエンス）
おじいさんとおばあさんの生活
おばあさん、桃を拾う
桃太郎、誕生の瞬間
桃太郎の成長
小箱（シーン）
＊＊＊
＊＊＊
＊＊＊

中箱では、「桃太郎の誕生」と、次のストーリーライン「村が鬼に襲われる」までに必要な展開を考えます。

小箱では、中箱の役割を満たしたシーンのエピソードを考えます。具体的なシーンのイメージや、エピソードの中身を小箱で考えます。「おじいさんとおばあさんの生活」を、どのようなシーンで描くのかを考えるということです。

このとき、どんな場所で描くかを手掛かりにすると、発想がしやすくなります。映画やテレビドラマのシナリオでは、シーンは「柱」と呼ばれます。ドラマが起きる場所が指定できると、そこでどんなことが起きそうかというイメージが湧いてきます。

小箱をどこまで細かく書くか、の決まりはありません。ある程度まで細かく書く方もいれば、場所やセリフのアイデアだけを書く方もいます。

初心者の方が長編を書く場合は、見切り発車で書き始めるよりも、箱書をつくることをおすすめします。やりやすい方法を見つけてください。

Section 5

箱書を使った構成の立て方

主人公を中心にした「シナリオ・センター式」箱書づくり

これから、箱書を使った構成の立て方を、一緒に体感していきましょう。ストーリーをなぞってしまうということが、箱書のデメリットでした。このデメリットを解消する方法として、構成の機能をもとに、箱書をつくっていく方法があります。
ポイントは、構成の機能と、主人公を中心とした発想です。箱書づくりが苦手、もしくは箱書をつくってもうまく物語がつくれない、という方の悩みを解決します。

箱書を使った構成の立て方 ＝ 構成の機能 × 主人公中心の発想

構成の機能を意識して箱書をつくることで、物語に必要な要素が明確になります。

構成の機能に当てはめて大箱をつくる

構成の立て方を、料理番組風に紹介していきます。料理番組を見ていれば、夕食のおかずのつくり方がわかるように、構成の立て方を理解してもらえたらと思います。料理番組を想像しながら、一緒に考えていきましょう。ついてきてくださいね。

＊　＊　＊

本日は、面白い物語をつくるために、こんなものを用意しました。

構成の機能と箱書です。テーブルの上に、2つのツールを並べます。このツールをフル活用して、『桃太郎』の構成を立てていきましょう。桃太郎の性格は、「わがまますぎる性格」を想定していきます。

まず、大箱のつくり方です。大箱は、起承転結の機能と紐づけて並べます。やり方は、簡単です。構成の図に沿って、8つの箱を並べます。振り分け方は、起1、承5、転1、結1ですね。

どこから考えてもかまいませんが、本日は転のテーマから考えてみましょう。

テーマは、こちら。「力を合わせることは大切だ」です。

テーマが決まったら、そのテーマが伝わりそうなクライマックスを考えます。

シナリオ・センター式「構成機能一体型箱書シート」

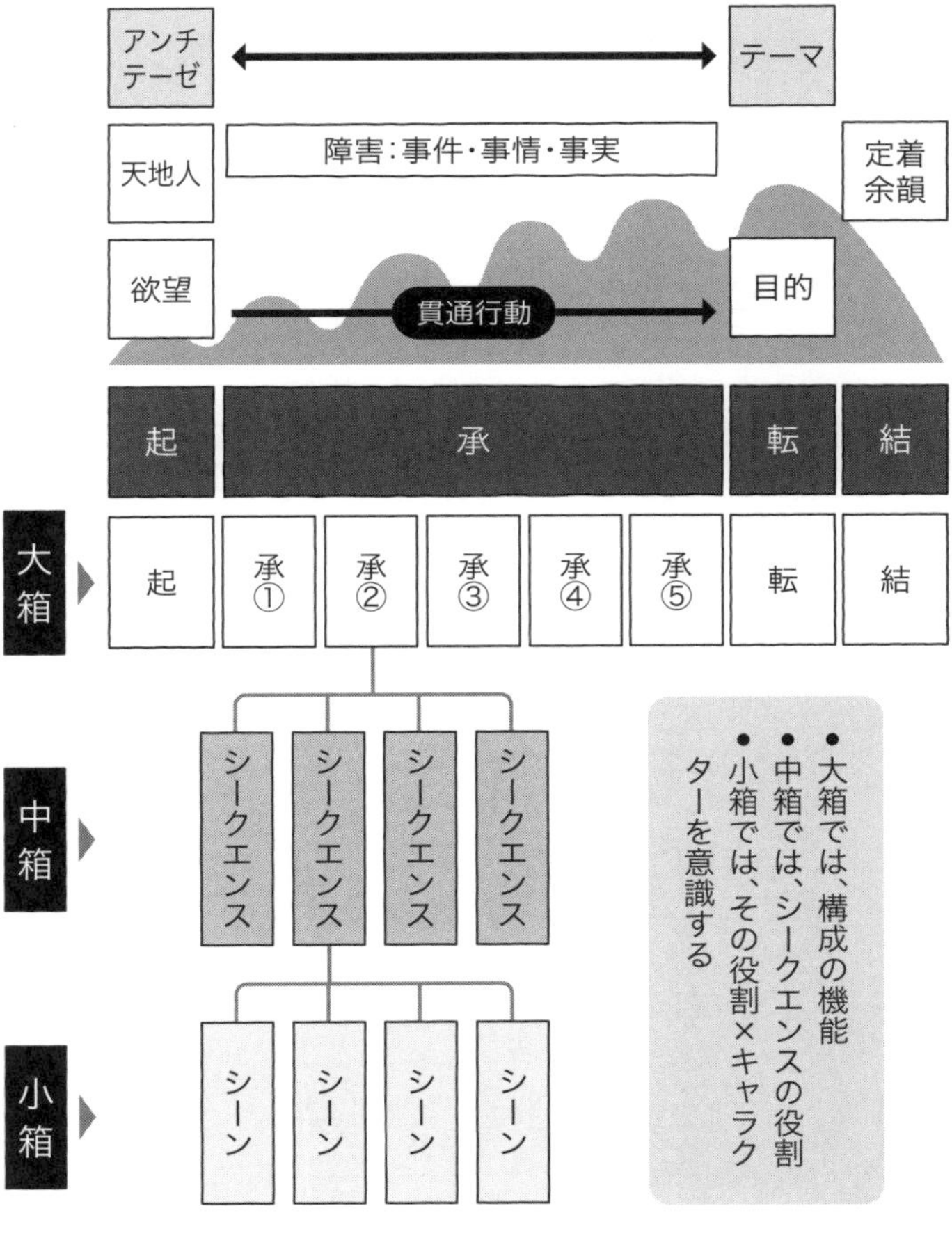

『桃太郎』であれば、「鬼を倒す」がクライマックスです。ですが、「鬼を倒す」と書いただけでは、テーマの要素が感じられません。なので、ここでひと工夫。テーマ性を入れるため、「鬼を倒すときに、桃太郎が仲間と一致団結する」として、転の箱に入れてみましょう。「力を合わせることは大切だ」というテーマの風味がついてきます。

転が決まれば、起のイメージも湧いてきます。起の機能の1つは、アンチテーゼでした。テーマの逆という意味です。

転が「鬼を倒すときに桃太郎が仲間と一致団結する」なので、桃太郎のキャラクターも含め、アンチテーゼが感じられるように起の箱を考えます。「桃太郎、誕生」に加えて、「わがままに育つ」という要素を、ひとつまみ入れます。

起の箱は「桃太郎、誕生。わがままに育つ」にします。おじいさんとおばあさんに甘やかされたせいで、自己中心的に育ってしまったという想定です。

起は、テーマに対するアンチテーゼになればいいので、「桃太郎、誕生。人付き合いが苦手」も、いいかもしれません。今回は、起の箱に「桃太郎、誕生。わがままに育つ」
転の箱に「鬼を倒すとき、桃太郎が仲間と一致団結する」

と、入れます。わがままに育ってしまい、なかなか仲間と腹を割って向き合えなかった桃太郎が、クライマックスで、殻を破って変化するイメージが湧いてきます。

ここまできたら、起と転をつなぐ承の大箱を考えます。

承の機能は、主人公に障害をぶつけて困らせて、葛藤させることでした。なので、承の部分で主人公を困らせることを忘れてはいけません。「～で、主人公が困る」と、箱書に入れていきます。隠し味です。

〈困るを意識しない承〉

「村が鬼に襲われる」⇩「桃太郎、鬼退治を決意」⇩「仲間が集まる」⇩「鬼ヶ島に向かう」⇩「鬼ヶ島で戦う」

〈困るを意識した承〉

「村が鬼に襲われて、桃太郎が困る」⇩「鬼退治の決意で、桃太郎が困る」⇩「仲間が集まるときに、桃太郎が困る」⇩「鬼ヶ島に向かう間に、桃太郎が困る」⇩「鬼ヶ島での戦いで、桃太郎が困る」

たったこれだけで、単なるストーリーの流れが、あっという間に、主人公を軸としたドラマチックな展開になりました。

すでに、シーンのイメージが湧いてきたのではないでしょうか。

忘れてはいけないのが、転にも、主人公が困る要素を入れることです。しかも、クライマックスは、主人公が一番困る状況です。なので、「〜で、主人公がとっても困る」とします。

転は、「鬼を倒すとき、桃太郎がとっても困って、仲間と一致団結する」になります。「何だ、こんなことか」と思うかもしれませんが、こんなことで、物語の質はガラッと変わります。

起　：桃太郎、誕生。わがままに育つ
承①：村が鬼に襲われて、桃太郎が困る
承②：鬼退治の決意で、桃太郎が困る
承③：仲間が集まるときに、桃太郎が困る
承④：鬼ヶ島に向かう間に、桃太郎が困る
承⑤：鬼ヶ島での戦いで、桃太郎が困る
転　：鬼を倒すとき、桃太郎がとっても困って、仲間と一致団結する
結　：めでたし、めでたし

主人公を軸にした、大箱ができあがりました。主人公が、ぴちぴちと活きのいい姿を見せ始めています。

今回は、桃太郎の性格を「わがまますぎる」にして、大箱の構成を考えました。性格は、自由に考えてください。「臆病すぎる性格の桃太郎」「真面目すぎる性格の桃太郎」「前向きすぎる性格の桃太郎」など、いくらでも考えられます。

キャラクターによって、承で困る障害とその姿、転でとっても困る障害とその姿は

変わります。描きたいキャラクターを想定して発想してください。

📖中箱は、アクション・リアクションを簡潔に書く

次に、大箱を眺めながら、中箱のアイデアを出していきます。中箱では、構成の機能を満たしたシークエンスを考えます。

シークエンスでは、何を伝えればいいのか、という役割を明確にします。役割が明確になると、主人公のアクション・リアクションのアイデアも浮かんできます。もしくは、主人公のアクション・リアクションを考えることで、役割が見えてきます。やりやすい方法で、中箱を考えてください。

〈役割とアクション・リアクションを意識しないバージョン〉

「桃太郎が誕生」

⇩「おじいさんとおばあさんの生活」

⇩「おばあさん、桃を拾う」

⇩「桃太郎、誕生の瞬間」

⇩「桃太郎の成長」

〈役割とアクション・リアクションを意識したバージョン〉

起の機能「天地人」「アンチテーゼ」の紹介：桃太郎、誕生。わがままに育つ
⇩シークエンスの役割：生活を描く「おじいさんとおばあさんの侘しい生活」
⇩シークエンスの役割：「謎」の登場「おばあさん、桃を拾い、恐る恐る持ち帰る」
⇩シークエンスの役割：桃太郎の誕生「桃太郎、元気よく誕生」
⇩シークエンスの役割：桃太郎のキャラクターとアンチテーゼ「桃太郎、甘やかされ、わがままなガキ大将に育つ」

大箱を眺めながら、アイデアを考えて、中箱を埋めていきます。いきなりすべての中箱を埋める必要はありませんし、あとから別の内容に変えることもできます。

中箱を考える際にも、主人公のキャラクターをイメージしながら発想するとアイデアが湧きます。

大箱は、起承転結の「機能」をもとにしています。中箱は、構成の機能を満たした「シークエンス」になるように、アイデアを考えます。大箱が「村が鬼に襲われて、桃太郎が困る」のであれば、中箱は桃太郎が困るという機能を満たすアイデアを出します。そうすることで、構成の機能からもズレずに、キャラクターが出た展開を考えられます。この方法なら、主人公を中心とした箱書になり、デメリットは解消です。

さらに、「構成がみなさんのクリエイティブを解放する」という真髄をお見せします。

小箱は、中箱の役割を満たすエピソードにする

小箱は、クリエイティブな部分です。正解もなければ、不正解もありません。小箱をつくる際のアイデアの基準は、2つあります。1つは、中箱の役割を満たしているか、もう1つは、主人公のキャラクターが出ているか、です。

例えば、大箱「村が鬼に襲われて、桃太郎が困る」の中には、中箱「桃太郎、村の仲間から冷たい目で見られる」というシークエンスがあります。その中にある小箱のアイデアを考える場合、どこで、誰と、どんなやりとりをするかを考えます。

大箱「村が鬼に襲われて、桃太郎が困る」
⇩中箱「桃太郎、村の仲間から冷たい目で見られる」
シークエンスの役割：鬼退治、決意への伏線「桃太郎、村の仲間から冷たい目で見られる」
⇩小箱①：村はずれで、桃太郎と村の若者が、鬼から隠れている
⇩小箱②：村の広場で、桃太郎が、村の大人から身勝手な振る舞いを責められる
⇩小箱③：桃子の家の前で、桃太郎が、「桃子がさらわれた」と桃子の家族が泣いている姿を遠くから見る
⇩小箱④：桃太郎の家で、桃太郎が、おばあさんから「育て方を間違えた」と言われる

箇条書きでいいので、３要素をもとにどんどんアイデアを出していきます。中箱の役割を満たすエピソードをつくれば、結果的に、構成の機能を満たすエピソードになります。ここまできたら、ロジックなんて一切忘れてかまいません。ただただ面白いエピソードをつくってください。料理で言うなら、目を惹く盛りつけです。

大箱、中箱、小箱の関係性を整理すると、

大箱＝構成の機能を意識する
中箱＝構成の機能を満たした、シークエンスの役割を考える
小箱＝シークエンスの役割を満たした、エピソードをつくる

となります。

箱書で、あなたが使うロジックとクリエイティブの割合を、数字で整理してみると、ざっとこんな感じです。

大箱＝構成の機能：ロジック8　対　クリエイティブ2
中箱＝シークエンスの役割：ロジック5　対　クリエイティブ5
小箱＝役割を満たしたエピソード：ロジック0　対　クリエイティブ10

人によっては、小箱がいらないと言う方もいるかと思います。小箱では、細かくつくるというよりは、いろいろなエピソードのパターンを考えてみてください。存分に発想を遊ばせてください。以上が、「シナリオ・センター式」箱書です。箱書を使いこなすからこそ、あなたのクリエイティブが爆発します。

さて、創作料理がうまくできそうでしょうか。独創的な作品を、この方法でどんどん生み出してください。

＊　＊　＊

ロジックとクリエイティブを切り分けて考える

箱書をつくることで、ロジックとクリエイティブを切り分けて考えることができます。「ここは、物語でどんな位置づけになるんだ？」と頭の片隅で迷いながら、エピソードの内容を考えていたら、クリエイティブに集中できません。

あなたのクリエイティビティを発揮するためにも、箱書を手の内に入れてください。箱書は「正しく迷う」の真骨頂です。ロジックとクリエイティブを切り分ける方法（シナリオ・センター式「ロジ・クリ法」）は、自転車の乗り方と一緒で、慣れれば誰でもできます。「このシークエンスの役割はなんだっけ」と考える癖をつけてください。短い習作でいいので、20作品くらいこの方法を試してみてください。腕、上がりますよ。

Section 6

「起承転結」のアイデア「起」のポイント

起承転結のアイデア

起承転結の機能を踏まえて、箱書をつくることで、主人公のアクション・リアクションを主体としたアイデアが湧いてきます。

以下、起承転結のアイデアを出すときに助けになるポイントを挙げていきます。「構成機能一体型箱書シート」（185ページ）を眺めながら、物語のアイデアを出すときの参考にしてください。

起のアイデア❶ 出だしをどうするか

「起」は何といっても、物語の最初の部分です。ここで惹きつけられないと、観客・読者は離れてしまいます。なので、箱書を眺めながら、どのような出だしにすればばいいのかを考えます。出だしの種類は２つ。「張り手型」と「撫《な》ぜ型」です。「張り手型」でいくか「撫ぜ型」でいくか、考えてみてください。

撫ぜ型とは、ムードタッチにやさしく撫でるように始める方法です。ホームドラマやラブコメディなどに多く使われます。「むかしむかしあるところに〜」から始まる『桃太郎』は、撫ぜ型です。撫ぜ型は、天地人の紹介がしやすい反面、出だしにインパクトが少し足りません。説明的にならないように工夫が必要になります。

張り手型は、インパクトのあるシーンから入って、観客・読者の興味を引き出していく方法です。アクションものに多く使われる手法になります。『桃太郎』も、おじいさんが大きな包丁を持って、桃に振り下ろす、というシーンから始まると、張り手型になります。他にも、村が鬼たちに襲われるところから始まるという出方でも、張り手型になります。

張り手型は、インパクトのあるシーンから入るため、観客・読者を物語の世界に引き込みやすい反面、そのシーンに対する「あと説」が必要になります。「あと説」というのは、トップシーンのあとに、そのシーンの状況や意味を説明することです。あと説となるシーンを、説明的にしない工夫が必要です。

起のアイデア❷ どこから物語を始めるか

物語をどこから始めるかについても、箱書を眺めながら検討できます。どこから始めるかを考えるキーワードは、ドラマのあるところから始める、です。

とくに、中箱を考えるときに、必要になります。大箱「桃太郎、誕生。わがままに育つ」に対して、中箱が４つあります。順番を変えたり、出だしを変えたりできます。例えば、「おじいさんとおばあさんの侘しい生活」から始めてもいいでしょうし、「桃太郎、元気よく誕生」から始めてもかまいません。

もしくは、「おじいさんとおばあさん、村の子どもたちをぼんやりと眺めている」という中箱にしてもいいかもしれません。そして、小箱のアイデアとして、「本当は子どもがほしかった」というおじいさんとおばあさんの感情が出るシーンから始めることもできます。

ドラマのあるところから始めることで、観客・読者を惹きつける起にしてください。鯛焼きの一口目に、あんこ（ドラマ）がなかったらがっかりしますから。

起のアイデア③ 起は「つかみ」も考える

起の機能は、３つもあることから、起は物語の中で、もっとも説明的になりやすいパートです。

シナリオ・センターの受講生の作品でも、起が「紹介＝説明」になりがちです。観客・読者が理解できることと、面白いことは、イコールではありません。「わかるんだけど、面白くない（引き込まれない）」ではいけません。

そこで、これまでお話ししたアイデアを活かして、観客・読者を惹きつける「つかみ」をつくってください。

「起の３つの機能」×「つかみ」＝面白い「起」

起のアイデア❹ 謎をうまく使う

観客・読者が感情移入をする要素として、「謎」をうまく使うという方法があります。「謎」というのは、不可思議な事件や事故が起きるというものに限りません。観客・読者が「何だろう？　何かありそうだぞ」と疑問に思うようなものも意味します。

「謎」には、大きく2つのパターンがあります。1つ目は、物語全体が抱えている謎です。「未解決の事件がある」とか、「黒幕は誰か」などです。

2つ目は、登場人物が抱えている謎。秘密とも言えます。

第3章で例に出したように、主人公の刑事が、周りから陰口を言われたとします。すると、この陰口に観客・読者は引っかかります。物語全体の「謎」と主人公が抱える謎とが絡み合うと、さらに面白くなります。

「謎」をうまく使うことで、観客・読者は、物語の中に参加してきます。もちろん、「謎」のうまい解き明かし方も考えてください。

Section 7

「起承転結」のアイデア「承」のポイント

承のアイデア❶ 主人公の「欲望」は何か

主人公が抱く欲望によって、物語は動き出します。そのため、箱書の承①か、起の段階で、主人公の欲望を考える必要があります。

主人公の欲望を考える際には、単純に欲望だけを考えても、物語は動きません。主人公が、転のクライマックスに向かうための欲望を考えてください。

『桃太郎』であれば、転「鬼を倒すとき、桃太郎がとっても困って、仲間と一致団結する」に向かうためには、桃太郎がどうしても鬼を倒したいという欲望が必要です。なぜなら、鬼となんて、誰も戦いたくないからです。あなたは、鬼と戦いたいですか？ 戦いたくないですよね。桃太郎を鬼と戦うところまで持っていくためには、ふさわしい欲望が必要になります。

承のアイデア❷ 主人公の「貫通行動」を決める

欲望が生まれたら目的ができるので、主人公は動き出します。

幼なじみの桃子を助けたいという欲望から、桃子を助けるという目的が生まれ、鬼退治に向かうという行動が、貫通行動です。貫通行動があることで、どんな障害をぶつけても、最終的にはあきらめない主人公の姿を描くことができます。主人公は、目的を達成するために、何をするか、と考えると貫通行動が見えてきます。

さらに、貫通行動を強化していくと、物語の魅力が高まります。「桃子を助けたい」という欲望を、「桃子を助けなければならない」に強化することで、貫通行動も自ずと、「鬼を退治しなければならない」に変わります。

貫通行動を強化するために、箱書を眺めてみましょう。例えば、桃子は桃太郎の身代わりとなってさらわれた、ではどうでしょうか。承④あたりで仲間割れしたときに、実はさらわれたときの様子を空から見ていたキジが、桃太郎の秘密を暴露するのです。桃太郎は、引くに引けなくなります。

承のアイデア③ 主人公は障害をどう乗り越えるか

主人公は、障害にぶつかります。その障害を、どうにかして、乗り越えていきます。どんな障害を、どう乗り越えるのかはワンセットで考えます。主人公のキャラクターをもとに、どんな障害があれば、主人公が困るのかを考えます。おもに中箱を眺めながら、アイデアを練ってください。

主人公ならではの障害を、主人公ならではの方法で乗り越えるのが理想です。ですが、すべての承をそのように構成できるとは限りません。その場合、「障害そのもの」か「障害の乗り越え方」か、いずれかに主人公ならではの要素を入れてください。

障害は、団子の串刺しのように、同じ大きさではいけません。承①から転に行くまで、どんどん障害を大きくしてください。物語が盛り上がるので、観客・読者は目が離せなくなります。コース料理のように、メインに向かって徐々に味が濃くなるイメージです。

承のアイデア❹ 伏線を張る・伏線を回収する

伏線とは、あとで起こる出来事に必要な情報を、さりげなく観客・読者に見せておくことです。「伏線を張る」と言います。ポイントは「さりげなく」です。

箱書は、物語の全体像が見渡せるので、伏線を張りやすくなります。中箱、もしくは小箱の段階で、箱書を眺めながら考えてみてください。

例えば、『桃太郎』の承③「仲間が集まるときに、桃太郎が困る」の中で、サルとイヌは最初から仲が悪いとします。イヌは、手を出されると思わずお手をしてしまいます。サルが、それをバカにします。そのせいで、イヌはサルと手を合わせたがらない、というのが伏線です。

この伏線を、転の一致団結するところで回収します。鬼を倒すために、桃太郎の必死の頼みによって、イヌとサルが手を合わせます。伏線によって、一致団結する姿が際立ちます。

伏線を張って回収するのは、作者の腕の見せ所です。箱書を眺めながら、楽しみながらアイデアを出してください。少し古い映画ですが『プリティ・ウーマン』は伏線の張り方と回収の仕方が、秀逸です。参考にしてください。

承のアイデア⑤ カセをつける

主人公の「カセ」を考えます。カセというのは、「手枷・足枷」というように、「主人公がある目的に向かって進んでいこうとするとき、条件として邪魔になるもの」を言います。カセについて詳しく解説していくと、1つの章を必要とするので、簡単にご説明します。

カセには、大きく2つあります。1つは、主人公を一時的に縛るもの。もう1つは、主人公にとって宿命的なものです。キャラクター設定とも関わってきます。

ポイントは、どちらの場合も「目的に向かって」という点です。

例えば、「桃子を助ける」という目的の桃太郎に、鬼ヶ島へは満潮までに渡らなければならない、となれば「満潮までに」というのが一時的なカセになります。

桃太郎は、相手を傷つけた分だけ寿命が短くなるとすれば、宿命的なカセです。「桃子を助ける」ためとはいえ、鬼との戦いは、まさに命がけになります。

主人公にカセがあることで、そのカセをどう乗り越えるのだろうか、どう向き合うのだろうかと、観客・読者は感情移入をします。カセが、物語を引き締めてくれます。

Section 8

「起承転結」のアイデア「転・結」のポイント

転のアイデア① 主人公にとって最大の障害をぶつける

転は、物語が一番盛り上がるクライマックスです。クライマックスのポイントは、主人公にとって最大の障害をぶつけ、主人公がどう向き合うかを考えることです。

テーマが、「力を合わせることは大切だ」だとしたら、クライマックスで桃太郎一行は一致団結して、鬼と向き合わなければいけません。主人公である桃太郎は、このクライマックスまで、なかなか仲間と協力することができない、何かを抱えています。

仲間と協力するためには、桃太郎は、仲間たちに頭を下げなければいけないかもしれませんし、仲間のために自らを犠牲にしなければいけないかもしれません。

訴えたいテーマをもとに、主人公が乗り越えるべきものは何か、そしてどのように乗り越えるのかを考えてください。

転のアイデア❷ 起からの変化を感じさせる

「ドラマとは変化である」と、新井一は言います。主人公の考えや、置かれた状況に変化が出る「転」になっているかを、箱書を眺めながら確認します。

テーマとアンチテーゼの関係性がズレてしまうと、チューニングの合わない楽器のように、物語全体のハーモニーが崩れてしまいます。転を考えたら、起を。起を考えたら転を考えるというように、大箱の段階からワンセットで考えてください。

結のアイデア 余韻のあるシーンを考える

結の機能は、テーマの定着と余韻です。『桃太郎』なら「めでたし、めでたし」の部分が、結になります。転で訴えたテーマの余韻が感じられるシーンを考えます。

「力を合わせることは大切だ」がテーマであれば、協力したあとの一体感が伝わるシーンや、桃太郎一行ならではの仲間らしさが出るようなシーンを考えます。

連続ドラマやマンガなど続きがある作品の場合、一話ごとの最後のシーンが結になります。この場合は、余韻の代わりに、期待もしくは不安の要素を考えます。観客・

読者に「え？　このあと、何か起きるの？」と思わせる結にしてください。

📖 箱書を眺めながら、大箱・中箱・小箱を行き来する

箱書は、物語の全体の流れを眺めながら、ああでもない、こうでもないといろいろなアイデアを出すときに便利なツールです。構成の機能を掛け合わせることで、最強のツールになります。

「構成とは、誰にでも感動してもらうためのものである」と、新井一は言います。オリジナリティのある物語をつくろうとして、構成のセオリーを壊そうとする方がいますが、それは、型破りではなく、型崩れになるだけです。「音階を使わずに、新しい音楽をつくるんだ！」と言うようなものです。

構成のセオリーを壊すのではなく、構成のセオリーを使って、クリエイティビティを発揮してください。型を知るからこそ、型破りな作品がつくれます。ロジックを恐れない人だけが、あなた自身のクリエイティビティを満喫できるのです。

第5章

シーンの描き方

Section 1

そもそもシーンとは何か

シーンにはクリエイティビティが求められる

いよいよ物語づくりも佳境に入ってきました。ここからは、物語のシーンの描き方について、お話をしていきます。

シーンは、物語づくりの中で、もっともクリエイティブな領域です。

シーンという表現は、シナリオ的かもしれませんが、要は、観客や読者が目にする「場面」という意味です。どれだけあなたがテーマを厳選し、モチーフに工夫を重ねても、観客・読者が目にするのは、シーン（場面）です。観客・読者が感動するのは、シーンであって、ストーリーではありません。「泣けるストーリーだった」と言うときも、ストーリーの流れに乗って、目にするシーンに感動するのです。ストーリーは、観客・読者がシーンを味わうための乗り物です。そこからどんな景色を見せられるかは、あなたの作家の腕にかかっています。

ここまで言っても、人の思考は、ストーリーに傾くから不思議です。「ドラマが書けていない」「ドラマが弱い」「何か面白くない」と言われる原因は、すべてストーリー偏重にあります。面白いシーンを描く。そのための第5章のはじまりです。

面白いシーンとは

シーンひとつひとつを面白くできれば、物語全体が面白くなります。面白いシーンとは、「ウケる」とか「笑える」とか、そういう意味だけではありません。

「愛おしくなる」「イライラする」「意味が気になる」「意外な展開」「うれしくなる」「うなずいてしまう」「感動する」「考えさせられる」「緊張してくる」「気づかされる」「気味が悪くなる」「苦しくなる」「困惑する」「混乱してしまう」「心が盛り上がる」「先が気になる」「さみしくなる」「スッキリしない」「スカッとする」「切なくなる」「せいせいする」「絶望する」「楽しくなる」「ためになる」「誰かに話したくなる」「つらくなる」「手に汗握る」「泣ける」「苦々しい」「眠れなくなる」「ハッとする」「ひりひりする」「ほんわかする」「学びになる」「真似したくなる」「身につまされる」「ムカつく」

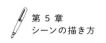

「目が離せない」「モヤモヤする」「優しい気持ちになる」「楽になる」「ワクワクする」など、いろいろな意味を含みます。

共通するのは、観客・読者の感情が動く、ということです。

シーンを描くために必要な「作家の眼」

あなたは、観客・読者の感情が動くシーンをつくればいいのです。そのため、第1章でお伝えしたように、ドラマを描けばいいのです。人は、ドラマに心を動かされます。そしてドラマとは、人間を描くことでした。ということは、面白いシーンにするために、人間を描けばいいわけです。それには、作家の「眼」と「腕」が必要です。

人間を描くためには、作家であるあなたが、人間を、そして人間同士の感情の交流をどう捉えるか、さらに人間が属する組織や社会、地域、国、世界全体をどう捉えるかという、あなたならではの「作家の眼」が欠かせません。「こんなとき、自分だったら何を感じ、どう行動するのだろうか。そしてこの登場人物だったら、何を感じ、どう行動するのだろうか」と繰り返し考えることが、あなたの作家の眼を磨きます。

ですが、「作家の眼」だけでは、人間は描けません。あなたが捉えた「人間」を描き出す「作家の腕」が必要です。この両方が揃ったとき、あなたの作品は観客・読者の心を打ちます。あの公式を思い出してください。

「何を書くか」（作家の眼）×「どう書くか」（作家の腕）＝面白い物語

この掛け算こそ、あなたの作品が唯一無二となる道です。
面白いシーンを描くには、３つの条件があります。

- 条件❶ 人間が描けているか
- 条件❷ 次のシーンが見たくなるか
- 条件❸ 画になるか

それぞれの条件をクリアするために、どのような表現技術を身につければいいのか、整理していきましょう。

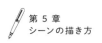

Section 2

条件❶ 人間が描けているか

シーンの肝は登場人物のキャラクター

シーンは、物語の最小単位でした。では、シーンは何でできているのでしょうか。シナリオで考えると、シンプルです。シナリオでは、「柱」「ト書」「セリフ」の3つの要素で、シーンを描きます。

- 柱……………カメラを置く場所の指定／照明の指定
- ト書…………登場人物の動作やしぐさ、状況
- セリフ………登場人物のセリフ

物語のジャンルによる描き方の違いはあるにせよ、シーンでは、そのシーンに登場

する人物が、いつ、どこにいるのか、そこで何を感じ、考え、どういうアクション・リアクションをするのか、を描きます。

観客・読者は、登場人物のアクション・リアクションに感情移入します。シーンの肝は、登場人物のアクション・リアクションです。

では、アクション・リアクションの肝は、何でしょうか。それは、登場人物のキャラクターです。シーンには、登場人物のキャラクターらしい言動が求められます。

登場人物のキャラクター × アクション・リアクション = 面白いシーン

登場人物のキャラクター設定が重要なのは、シーンの描写に関わってくるからです。シナリオコンクールの落選作への講評で一番多いのが「キャラクターが描けていない」です。キャラクターが描けていないということは、ドラマが描けていない、ということです。一方で、入選作は「キャラクターがいきいきと描けている」と言われます。これは、他ジャンルのコンクールでも、同様ではないでしょうか。

登場人物のアクション・リアクションは、どうやって生まれるのか

登場人物らしいアクション・リアクションを描くためには、どうすればいいのか。それは、主人公に障害をぶつけることです。障害というのは、事件・事実・事情だという話を第4章でしました。シーンにおいても同じです。

人間の本質が垣間見えるのは、満ち足りているときではありません。ピンチのときです。主人公を追い込んでいくことで、人間の中にある様々な面が、主人公のアクション・リアクションを介して表現されます。

例えば、お腹が減ってしょうがない主人公がいます。お金もわずかしかありません（事情）。なけなしの小銭が、自動販売機の下へと転がってしまいます（事件）。そこには、なんと一万円札があります（事実）。さて、主人公は、この一万円札を、ねこばばするのか、交番へ届けるのか（葛藤）。

主人公に、どんな障害をぶつけるのか、そしてどんなアクション・リアクションを描くのかに、作家の腕が試されます。

障害をぶつけて、葛藤・対立・相克をつくる

主人公を中心に、登場人物に障害をぶつけると、そこに葛藤・対立・相克が生まれます。聞きなれない言葉もあるので、シーンの中に、葛藤・対立・相克を入れた例をつくってみました。


太郎と花子が、コンビニでアイスクリームを買って、家に帰るところだとします。「コンビニから家に帰る」というのは、シーンの中でのストーリー展開です。

太郎は、家でゆっくりアイスを食べたい（欲望）と思い、早く家に帰ろう（目的）としています。その途中、花子が「公園で食べよう」と言い出します（障害・事件）。

太郎は、少し考え（葛藤）、「家で食べようよ」と言います（対立）。

すると、花子は「天気もいいし、いいじゃん」と言い返します（障害・事実）。太郎は「家族連れも多いし、家のほうがいいよ」と主張します（相克）。

花子はため息をついて、「なら、いい。アイスいらない」とすねてしまいます（障害・事情）。太郎は、家でゆっくりしたいと思いながらも、こんなことで花子の機嫌を損ねるのも面倒だな、と思います（葛藤）。アイスは徐々に、とけ始めています。さ

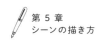

て、太郎の決断は……。

葛藤とは、等価値の選択肢の間で揺れ動く気持ちです。「家でゆっくりアイスを食べるか」「花子の機嫌をとって公園で食べるか」で、太郎は葛藤します。

対立とは、異なる意見がぶつかり合うことです。そう言うと、ケンカや口論を思い浮かべますが、仲のいい同士、同じ目的を持ったもの同士でも対立は起きます。人それぞれ個性があるため、表現が異なるからです。

相克とは、お互いが譲らない状態です。対立が深まった状態とも言えます。聞きなれない言葉ですが、家で食べたい太郎と、公園で食べたい花子の対立がエスカレートして、お互いに譲らないというのが、相克です。

アイスをどこで食べるか、というだけの話ですが、太郎の目的に対して、花子の提案という障害が投入されることで対立が生まれ、お互いが譲らない相克の状態となりました。太郎には、Aを取るかBを取るかという葛藤が生まれます。

葛藤・対立・相克と言うと難しいですが、要は障害によって主人公が困る状態になるということです。

初心者の方の作品では、ここで登場人物は葛藤するだろうというシーンで、さらっと次の行動、次の展開へと進んでしまいます。これは、人間を描くのではなく、ストーリーを進めることに気を取られているからです。

葛藤・対立・相克に「キャラクター」が出る

障害をきっかけに、主人公は困りだします。そのアクション・リアクションに、登場人物らしさが出ます。

先ほどの例であれば、「優しすぎる太郎」の場合、「公園で食べよう」と言い出した花子に対して、「公園かぁ〜、確かに気持ちいいかもしれないけど……ベンチが空いてないかもしれないし、家にしない？」と、花子の案を無下に否定はしません。

「マイペースすぎる太郎」であれば、「う〜ん」と少し考えてから「俺はいいかなぁ〜」と言って、歩き続けるかもしれません。すると花子が怒った調子で、「天気もいいし、いいじゃん」と言いますが、「よし！　花子は公園で食べなよ」と太郎も譲りません。譲らない太郎の袖を花子が引っ張って……となれば、相克が生まれ、マイペースな太郎にも、葛藤が生まれます。

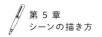

障害によって、葛藤・対立・相克が生まれるという構造は同じでも、登場人物のキャラクターによって、アクション・リアクションは変わります。

📖シーンでも貫通行動をつくる

登場人物を困らせるためのキーワードがあります。それは、貫通行動です。貫通行動は、物語全体とシーン、それぞれにあります。

目的を持った人物には、貫通行動が生まれます。貫通行動に対して、障害をぶつけると、葛藤・対立・相克が生まれます。

「障害」と表現すると、アクションものや恋愛もの、成長ものなどであれば、主人公にとってのライバルや、主人公の前に立ちはだかる高い壁、そして天変地異などをイメージする方が、多いかもしれません。

先ほどの例で言えば、突然、花子の元恋人が出てきたり、太郎がチンピラにからまれたりといった「事件」を投入する方法です。

しかし、貫通行動さえあれば、何気ない日常を描いた物語でも、主人公を困らせることができます。

例えば、絶対に美味しいランチを食べたいおじさんがいたとします。このおじさんを、謎の組織が追っているとか、ストーカーがつけ狙っているとかはありません。ある定食屋に入ったとします。おじさんは、このお店でランチを最大限楽しむために、何を頼むのがいいのかを考え出します。

「このAランチがよさそうだ」と思ったときに、隣の席に運ばれたBランチが美味しそうだったとします。注文しようとした手が、ピタッと止まります。おじさんの中でAにするかBにするか、という葛藤が生まれます。大げさな障害ではありませんが、おじさんにとっては、Bランチは立派な障害です。他にも、

- 店員さんにおすすめを聞いたら、Aランチにはないものを言われる
- 常連らしきお客さんが入ってきて、別のメニューを注文する
- 「どうします？」と店員さんに聞かれてしまう
- 次の仕事の時間が迫ってくる

などなど、主人公の貫通行動さえ決まれば、障害はいくらでも考えられます。

さらに面白いシーンにするなら、ランチおじさんの魅力を観客・読者に感じさせておくか、ランチおじさんがどうしても美味しいランチを食べたい、という欲望を描いておくことです。そうすることで、赤の他人がランチで迷っているだけでも「ドラマ」になります。

主人公は、三歩進んで二歩下がるくらいのつもりで、思った通りに進めないように描くことが原則です。「わかっちゃいるけど、やめられない」。人間というのは、頭でわかっていても、抑えきれない想いを抱えています。そこに葛藤が生まれます。ロボットとは違うところです。

「人間を描く」とは、義理人情や世間体ではどうにも止められない人間の心の奥を、「作家の眼」で覗き込むことです。

Section 3

人間を描く上でのセリフの考え方

セリフは物語にとって重要な要素

人間を描く手段には、大きく2つあります。登場人物のセリフと、登場人物の行動・しぐさです。

登場人物の考えていることや感じていることが、セリフや行動に表れます。セリフは、相手に直接言うものだけではなく、心の声やナレーションも含みます。小説やマンガなどでは、心の声を登場人物の考えや感じていることとして表現します。

セリフは、どんなジャンルの物語をつくるにせよ、重要な役割を果たします。映画やテレビドラマで言えば、プロデューサーにセリフは書けません。同様に、マンガや小説であれば、編集者にセリフは書けません。セリフこそ、作家の専売特許です。

人間を描く上で、セリフをどう考えていけばいいのか、整理したいと思います。

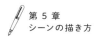

登場人物の行動・しぐさの描き方については、244ページの「シーンの条件③画になるか」で詳しくお伝えします。

セリフと会話の違い

セリフと会話の違いは、3つあります。

1つ目は、セリフには、そのシーンに関係あるものしか書かないことです。

セリフも会話も、1つの話題について、無駄なく話しているつもりかもしれませんが、会話には本筋と関係のない話が実にたくさんあります。あるシナリオ・センター出身のライターの方が、シナリオの勉強を始めた頃、喫茶店で隣にいたカップルの会話を録音して、家に帰って聞いたところ、まったく理解ができなかったそうです。

録音するしないの道義的な問題はさておき、それくらい会話には、本筋以外の無駄がたくさんあります。セリフに無駄な部分があると、観客・読者は戸惑います。

たとえるなら、会話は不純物の多い水です。それを濾過器《ろかき》に注いで、物語に関係のあるキャラクター、生活、ストーリーを通して、純水にしたものが、セリフです。

2つ目に、セリフも会話も、話している相手に向かって話すまでは同じですが、セリフは、さらに観客・読者にも理解できる必要があります。会話との決定的な違いは、ここです。喫茶店の会話でも、それが物語の中でされる以上、第三者にも内容が理解できなければいけないのです。

会話ではなく、セリフを書けるか否かというのは、作家に求められる最低限の腕になります。セリフのうまさには、いろいろな尺度がありますが、プロのセリフのうまさの1つに、無駄のないセリフで、無駄があるような自然なセリフ回しができることが挙げられます。ポイントは、キャラクターらしさをセリフに出すことですが、これができるようになるためにも、セリフと会話の違いを理解しておいてください。

会話を濾過してセリフをつくる

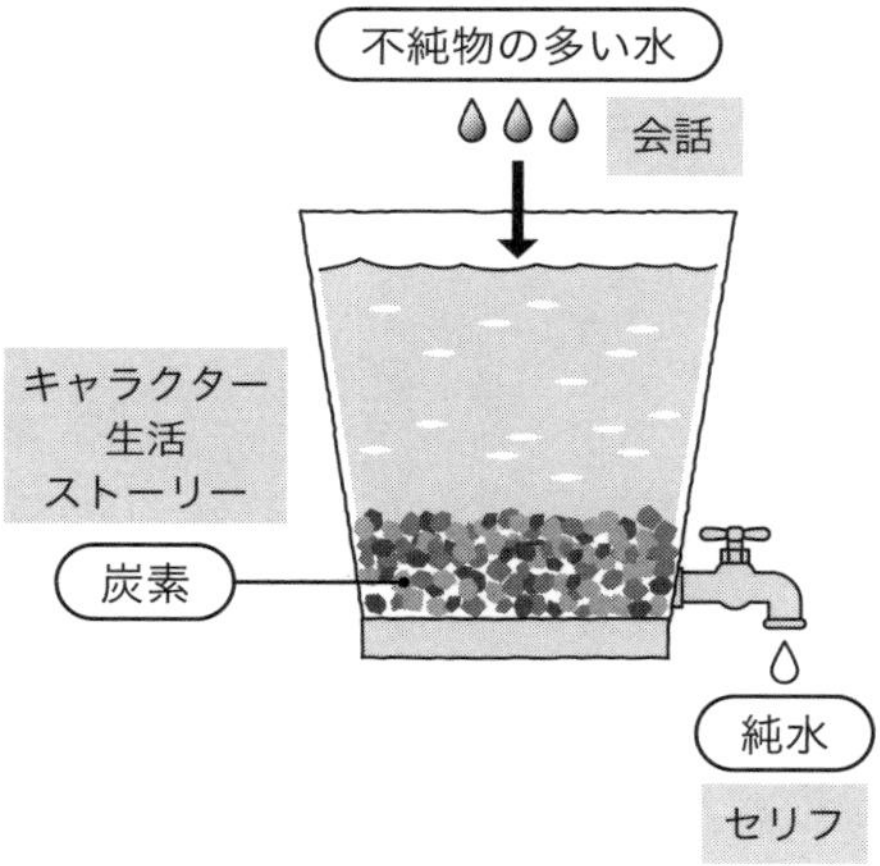

セリフと会話の違いの3つ目は、1つのセリフには、1つのテーマという原則があることです。

会話は「この前、こんなことがあったんだけどさぁ」という体験エピソードから始まり、「あ、いまの話で思い出したんだけど、あの芸人も不倫してたらしいね」と、ゴシップの話になったりします。1つのセリフの中に、テーマが2つ、3つ入ってしまっているセリフを「過剰セリフ」と呼びます。「過剰セリフ」を使ってしまうと、観客・読者は混乱します。そのため、1つのセリフには、1つのテーマというのを意識してください。

1つのセリフには、1つのテーマということがわかると、セリフでの「遊び」ができるようになります。ケンカをするシーンで、主人公が生活に不満を持っていることが伝わればいいのであれば、主人公のキャラクターをもとに、どんなセリフにすれば面白いかを考えられるようになります。

セリフの3つの機能

次に、セリフの機能を整理しましょう。セリフの機能は、3つあります。何万というセリフがありますが、機能はたったの3つしかありません。

- 人物の心理、感情を表す
- 事実を知らせる
- ストーリーを進展させる

例えば、ある会社で人事の発表があり、掲示板の前で社員たちが囁きあっています。
社員A「来年度から、事業部の部長が新井さんになるんだって（事実を知らせる）」
社員B「うっそ〜信じられない！（心理、感情を表す）」
社員A「ねぇ〜私、社長に確認してくる！（ストーリーの進展）」
社員B「えっ、ちょっと（心理、感情を表す）」

このように、セリフの機能を様々に組み合わせながら、物語を前に進めていきます。
ここで、お気づきになった方はいるでしょうか。そうです。セリフは、観客・読者にも伝わるように書くことから、そもそもすべて説明なのです。

セリフとは、人物の心理、感情を説明し、物語に必要な事実を説明し、ストーリーを進展させるために説明する、というものなのです。

ですが、観客・読者にとって、説明は退屈です。セリフは宿命として説明であるけれど、決して説明的であってはいけません。

では、どうすればいいのか。セリフにキャラクターを出してください。セリフはすべて説明だからこそ、キャラクターならではのものにする必要があります。

「セリフ」×「キャラクター」＝魅力的なセリフ

セリフはキャラクター軸で考える

説明という宿命を背負っているセリフを、魅力的にする方法を3つ紹介します。

- セリフはキャラクターを軸にして考える
- セリフはうそつき
- セリフを飛躍させる

まず、セリフには、登場人物のキャラクターを出します。そうすることで、セリフから説明くささが消えます。塩を振ることで、魚の生臭さを消すのと同じです。

セリフの良し悪しの大前提は、キャラクターです。セリフは常に、キャラクター軸で考えてください。「他の誰も言わないけれど、このキャラクターなら言ったりやったりするかもと思わせるセリフ」を考えてください（浅田直亮『ちょいプラ！　シナリオ創作術』言視舎）。

前述のキッズシナリオのワークの中で、面白いセリフを考えるヒントとして、まず、名前からキャラクターを想像してもらう発想ゲームをします。

例えば、「大河内権三」という小学校の先生がいたとして、何の教科を教えているか、普段どんな服装を着ているか、口癖は何か、性格はどんなふうかと、子どもたちに好きなように発想してもらいます。あなたも試しに考えてみてください。

その上で、大河内先生が、大好きなハンバーグを食べたときに何と言うか、セリフを考えてもらいます。キャラクターを設定していないと、「うまい！」「これは美味しいハンバーグだ」と、誰でも言いそうなセリフになってしまいます。ですが、大河内先生のキャラクターができると、子どもたちの中から、「うぉぉぉぉ」と言ってほお張るとか、「これです。これ。この肉汁です」「いままで食べたハンバーグの中でも、5本の指に入る」など、いろいろなセリフが生まれます。

さらに、「早川麻子」という名前でも同じことをしてもらいます。当然ですが、大河内先生と早川先生のキャラクターは違うので、まったく違うセリフが生まれます。

キャラクター軸で考えられているかをチェックする簡単な方法があります。ある程度シーンを書き上げたら、登場人物の名前を隠して誰のセリフなのか、チェックします。もし、キャラクターが出ていなければ、自分が書いたセリフにもかかわらず、どの登場人物のセリフなのか判然としません。ということは、観客・読者には、まったくキャラクターが感じられないということです。

📖セリフはうそつき

例えば、仕事中に「いま、お時間よろしいですか?」と言われて、そこそこ忙しくても、「大丈夫だよ」と答えます。本音では、「いまじゃなくてもいいなら、あとにしてほしいな」と思っていたとしても、です。人間には、本音と建前があります。

本音というのは、誰もが簡単に相手に言えるものではありません。物語の登場人物も、同じです。初心者のうちは、登場人物の気持ちをセリフでそのまま説明しがちです。そのため、活きたセリフになりません。

そこで、「セリフはうそつき」という技術を使ってみてください。本当の気持ちを隠すようなセリフにするということです。

本音と建前が生まれる理由として、人物関係があります。人物関係があることで、本当に思っていることが言えなかったり、思っている以上のことを言ってしまうということが起きます。社会的な関係性から生まれる本音と建前もありますし、内面的な関係性から生まれる本音と建前もあります。

セリフを考える際には、登場人物のキャラクターに加えて、人物関係を考えておくことで、登場人物に感情が生まれ、それぞれのシーンでのセリフが面白くなります。

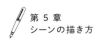

セリフを飛躍させる

初心者の方がセリフを書いていくと、どういうわけか、律儀なセリフのやりとりになります。律儀というのは、この場合はあまりいい意味ではありません。

例えば、男女の再会を描いてもらうと、こんなセリフのやりとりになります。

男「久しぶりだね」①
女「そうね、久しぶりね」②
男「3年ぶりだっけ」③
女「それくらいになるかな」④
男「元気にしてた？」⑤
女「まぁ元気にしてたわ。あなたは？」⑥
男「ぼちぼちだよ」⑦
女「……相変わらずね」⑧

面白くも、何ともありません。一問一答のようなセリフのやりとりを「英会話セリフ」と言います。物語は進行しますが、キャラクターもなく、面白味がありません。

原稿に向かってセリフを書き始めると、観客・読者にわかるように書こうとするあまり、英会話セリフを書いてしまうのです。

そこで、セリフを飛躍させるわけです。飛躍させるというのは、セリフを省略するということです。先ほどのやりとりのセリフを飛ばしてみます。

男「久しぶりだね」①
女「そうね、久しぶりね」②
男「3年ぶりだっけ」③
女「それくらいになるかな」④
男「元気にしてた？」⑤
女「……相変わらずね」⑧

⑤から⑧へとセリフが飛ぶことで、「……相変わらずね」のセリフのニュアンスが、先ほどと変わります。男の問いかけにうんざりしている女の気持ちが出てきて、退屈

なことしか言えない男と、そんな男を軽蔑する女という関係性も表現できます。たんにセリフを飛躍させただけで、セリフがいきいきしてきます。

📖説明セリフには、説明する前提が必要

ところで、セリフは説明的にならないほうがいいわけですが、物語の中で説明を1つもしてはいけない、ということではありません。

説明が必要なシーンは多々あります。ミステリーものなどで、探偵が推理をしていくシーンのセリフは、基本的に説明です。恋愛もので、主人公が好きな人に告白できないつらさを親友に打ち明けるとしたら、それも説明です。こういったセリフを「説明セリフ」と言います。

「説明セリフ」を使う場合、観客・読者が「知りたい」と思う前提をつくる、または、説明の内容を知らない登場人物に質問させるという2つの方法があります。

2つの方法を使うときにも、キャラクターならではの言い回しにすることは、忘れないでください。

Section 4

条件❷ 次のシーンが見たくなるか

観客・読者に期待をさせる

「次のシーンが見たくなるか」も、面白いシーンの条件です。そもそも、観客・読者が、いま目にしているシーンがつまらなければ、次のシーンへの期待値は下がります。その結果、テレビドラマであれば、チャンネルを変えられてしまいますし、小説であれば、読者の手が止まってしまいます。

いま展開しているシーンは、常に、次のシーンを期待させる内容でなければなりません。

構成の図を思い出してください。山の形は、どんどんと盛り上がっていきます。同じように、シーン①よりもシーン②、シーン②よりもシーン③というように、シーンもどんどん面白くなる必要があります。腕が鳴りますね。

📖シーンには変化が必要

第4章で触れたように、物語は変化があるからこそ、面白いのです。

変化は、物語全体を通しても重要ですし、シーンにおいても重要です。シーンのはじまりとおわりで変化があるからこそ、観客・読者は次のシーンが気になります。シーンの変化は、かなり大切なポイントですが、いままで、あまり語られていません。シーンの変化が描けるようになると、作品のレベルは一気に上がります。

では、シーンにおける変化とは何でしょうか。分解して考えると、4つあります。

- 登場人物の感情の変化
- 登場人物の行動の変化
- 登場人物同士の関係の変化
- 登場人物が置かれた状況の変化

いずれかの変化が登場人物に起きることで、登場人物は動き出すか、もしくは動きが止まるという変化が起きます。変化のないシーンは、必要がないシーンです。

例えば、大物政治家が関わっている可能性がある事件を、新米ディレクターとアナウンサーが追っているとします。

ついに２人は、事件についての新事実を突き止めます。２人とも、顔を見合わせます。新米ディレクターは、事件の真相に迫ってきた（状況の変化）ことで、テンションが上がります（感情の変化）。

アナウンサーは事件の背後に大物政治家の存在を感じ、怯《ひる》みます（感情の変化）。新米ディレクターは、「いますぐ報道に！」と駆け出そうとしますが、アナウンサーは「ちょ、ちょっと待って」と止めます（行動の変化）。そして、事の大きさを新米ディレクターに説明しますが、その姿を見て、新米ディレクターはアナウンサーのことを軽蔑した顔で見ます（関係の変化）。

新事実を突き止め、動き出すかと思いきや、シーンのラストでは、動きが止まります。シーンのはじまりと、おわりに変化があります。２人の関係にも、変化があります。さらに、登場人物は、ワンシーンの中でいくつかの変化をしています。変化が多いほど、シーンの緊張感は高まります。

シーンにおける変化のつけ方が身につくと、いろいろなジャンルの物語が書きやすくなります。シーンの変化によって、観客・読者のハラハラドキドキが大きくなります。シーンに変化があればこそ、観客・読者は続きが気になります。

書きたい物語が、もっと何気ない日常だという方もいると思います。たしかに、必要以上に変化があると、物語のトーンと合わなくなります。その場合は、シーンにおける変化の度合いと数を調整すればいいのです。

例えば、喫茶店に入った主人公が、コーヒーを飲みながら窓の外を見て、ほっこりするというシーンがあったとします。これだけでは、変化がありません。ですが、喫茶店に入る前に、日頃の仕事で疲れた様子を描くとします。道すがら、小さくため息をつく、でもいいでしょう。そうすれば、単なる喫茶店のシーンが、登場人物のストレスが少し和らぐ、という感情の変化があるシーンになります。

感情の消長を捉える

シーンの変化の1つに「登場人物の感情の変化」があります。

感情が盛り上がったり、沈んだりすることを「感情の消長」と言います。登場人物の感情を、波が押したり引いたりするように、緩急をつけるイメージで動かすことです。

先ほどの新米ディレクターとアナウンサーを例に、感情の消長を見てみましょう。

新事実を突き止めたことに対して、新米ディレクターの感情の波は高まります。一方で、アナウンサーのほうは、事件の背後に大物政治家の存在を感じ、感情の波が引きます。

感情の波が高くなったことで、新米ディレクターは、事件の真相を報道に持ち込もうとしますが、感情の波が引いたアナウンサーは、新米ディレクターを止めます。

このように、それぞれの登場人物の感情には、消長があります。同じ新事実にも、キャラクターと背負っている背景などが異なるので、抱く感情も異なります。それによって、登場人物のアクション・リアクションも変わります。

シーソーのように、一方は上がり、一方は下がるというように噛み合わないことで、ドラマ性も上がります。いわゆる「気持ちがすれ違う」という状態です。
登場人物同士の感情が、なかなか噛み合わないように物語を進展させて、クライマックスで、初めて登場人物たちの感情と行動が一致するという構成は、物語を盛り上げる方法の1つです。

初心者のうちは、なかなか意図的につくることが難しいかもしれませんが、作品を観る際に感情の消長を意識してみると、感覚が掴めます。登場人物の感情の消長をうまく描くことができれば、事件ではなく事情でドラマを描くことができます。観客・読者を自然と次のシーンへと引き込めるようになります。

新しい情報を投入する

登場人物のうち、とくに主人公は常に動いている必要があります。動いているというのは、2つの意味があります。

・行動している
・感情が動いている

主人公が動くことで、観客・読者は、主人公の次のアクション・リアクションが気になります。そうするための方法として、新しい情報を入れるというやり方がありま す。新しい情報を入れることで、主人公の感情や行動、考えに変化をもたらすことができます。

先ほどの新米ディレクターとアナウンサーであれば、「事件についての新事実を突き止めた」というのが、新しい情報です。その情報によって、登場人物それぞれの言動を引き出すと同時に、ストーリーも進展します。

新しい情報の出し方には、サプライズ型とサスペンス型の2つがあります。

主人公と同じように、観客・読者も知らない情報が入ってくれば、サプライズになります。事件の裏に、大物政治家が関わっていたとなれば、主人公はもちろん、観客・読者も驚きます。驚きつつ、主人公がどう行動するのか、気になります。

主人公は知らないけれど、観客・読者が知っている情報であれば、サスペンスになります。観客・読者は、すでに事件の裏に大物政治家の関与を知っている状態です。主人公が真相に迫っていく様子に、ドキドキします。そして、ついに真相に気づいた主人公がどうするか、観客・読者の好奇心は膨らみます。同じ内容の情報でも、どう投入するかによって、観客・読者の感情移入の仕方が変わります。

📖シーン尻に印象を持たせる

シーンのおわりのことを、「シーン尻」とシナリオでは呼びます。シーン尻は、観客・読者に強い印象を与えます。観客・読者は、最後に描かれていることに感情移入するからです。

プロの作品でもよく使われる手法です。部屋で話していたうちの1人が退出しかけて立ち止まり、振り返って何か大事なことを言って部屋を去ります。部屋に残った人物のリアクションが、観客・読者の印象に残ります。これは、すべての創作で活用できます。

新米ディレクターとアナウンサーの例であれば、真実を伝えることに怯んでいるアナウンサーの表情で終われば、観客・読者はアナウンサーに感情移入をします。怯んでいるアナウンサーを見つめる新米ディレクターの表情で終われば、観客・読者は、新米ディレクターに感情移入します。

そして、観客・読者は、感情移入した人物の次の行動に期待をします。シーン尻は、観客・読者の感情移入と期待につながります。

シーン尻は、人物の表情に限らず、アナウンサーの震える手でも、黙り込む２人の沈黙を破るスマートフォンの意味ありげな着信、というのでもよいでしょう。のちほど取り上げるシャレードという間接表現を使って、新米ディレクターの集めた資料が、ドサっと机から落ちるという方法もあります。

シーン尻を何で締めるのかも腕の見せ所です。間違っても、書き飛ばすことのないようにしてください。

Section 5

条件❸ 画になるか

シーンは、映像思考を武器にする

面白いシーンの条件、３つ目は「画になるか」です。

シーンは、作業としては原稿用紙やパソコンに「書く」わけですが、頭の使い方としては「描く」ものです。シーンは、画になるように表現することで面白くなります。

「画になるか」と言うと、シナリオ的な言い回しと感じるかもしれません。シナリオは、映像の設計図なので、画になることが求められます。マンガも同様です。小説やエッセイ、自分史やブログでも、画になることの重要性は同じです。

「え？　画？　どうして？」と思う方は、小説が映像化されるときのことを思い出してください。「キャスティングが、イメージ通り」とか「イメージと合わない」とか、

「ラストシーンのイメージが、ちょっと違うよね」とか、言ったりします。これは、小説を読みながら、みなさんの頭の中に画（イメージ）ができあがっているからです。

逆に、イメージが湧かない作品ほど、読んでいてくたびれるものはありません。「画になる」というのは、創作のジャンルを問わないシーンの条件なのです。どのジャンルの物語でも、シーンは、書くのではなく「描く」なのです。今日から頭をつくり変えていきましょう。

論理的な思考は左脳、創造的な思考は右脳、とよく言われます。最新の脳科学では、厳密に右脳、左脳による区分はないそうですが、わかりやすいので「シーンは右脳から飛び出す」と心に刻んでください。

なぜそんなことを言うのかというと、「書く」という行為は、論理的な思考を必要とするからです。シナリオにせよ、小説にせよ、その他の媒体にせよ、物語を「書く」となると、多くの方が知らぬ間に、左脳的な発想に引っ張られます。物語を考えるとき、テーマやモチーフよりも、シーンのアイデアがまっ先に浮かぶというクリエイティブなタイプの方でさえ、そうなります。

だからこそ「シーンは右脳から飛び出す」と呪文のように唱えることで、みなさんの頭のチャンネルを切り替えたいのです。

まずは、あなたが描こうと思っているシーンを、頭の中でイメージしてください。それができないと、観客・読者は同じイメージを、頭の中で描くことができません。

シーンは、画になるように、映像をイメージしてください。

ここでは、「映像思考」と呼びたいと思います。シーンを描くときは、常に映像思考を働かせます。

画になるリアクションを引き出す「リトマス法」

「リトマス法」という、使い勝手のいいシナリオの技術があります。

リトマス法というのは、小学校の理科の実験で行った、リトマス試験紙で水溶液の性質を調べる原理を、物語づくりに応用した方法です。

リトマス法を、新井一は以下のように定義しています。

「（リトマス法は）一つの状態にリトマス的な、人物、セリフ、小道具、事件、事情、自然現象等を投げ込むことによって、その反応（リアクション）から、その人物の心理や感情や事情等を描くことができる」

新井一『シナリオの基礎技術』（ダヴィッド社）

人物の心理や感情、事情は、目に見えません。文章で説明するのも1つですが、説明的になりがちです。そこで、リトマス法を使います。

例えば、駅のホームのベンチに、男がぼーっと座っていたとします。これでは、なぜ、ぼーっとベンチに座っているのかわかりません。心情を吐露させる方法もありますが、リトマス法を使ってみます。

ぼーっと座っている男に気づいて、同僚が心配そうに声をかけます。

「どうしたの？」（リトマス紙）

「いや、ちょっと……仕事でね……」（リアクション）

となれば、落ち込んでいることがわかります。

リトマス紙は、セリフだけとは限りません。

ぼーっと座っている男のスマートフォンが鳴ります。男はビクッとして、スマートフォンをポケットから取り出します。画面には「堅田部長」と表示（リトマス紙）。深いため息（リアクション）のあと、恐る恐る通話ボタンを押す、となれば、よっぽど出たくない電話なのだとわかります。２４０ページの「新しい情報」もリトマス法の一種です。

このように、リトマス法を使うことで、登場人物がどんなことを考えているのか、どんな気持ちなのかを、観客・読者に映像的に伝えることができます。

人物の出し入れを工夫する

当たり前すぎて、無頓着な方も多いですが、登場人物をどのように登場させるかも、映像思考を使って考えてください。

「人物の出し入れ」は、演劇から生まれた手法です。舞台にどのように人物を登場させ、退場させるかを研究したものです。何気ないことですが、人物の出し入れによって、そのシーンの密度が変わります。どのジャンルの創作にも効果的な手法です。人物の出し入れは、大きく分けると、３つのパターンがあります。

①板付き法
②空舞台法
③板付き法×空舞台法

初心者の方は、大抵の場合、板付き法を無意識のうちに使ってしまいます。喫茶店のシーンを書こうとしたら、喫茶店で登場人物の２人が向き合っているところから始めます。これが悪いわけではありませんが、板付き法のメリットとデメリットを知らずに、何となく使ってしまうのは問題です。

①板付き法

シーンが始まったときに、すでに太郎と花子がいる、というようなものです。最初から板（舞台）にいるということで、「板付き法」と言います。

多くの人がいて、太郎と花子が残り、会話が始まるというパターンもあります。「消去法」と言ったりします。

板付き法は、観客・読者がすでに知っている情報を省略することができます。

太郎が上司との関係で悩んでいることを観客・読者が知っている場合、「こないだこんなことがあってさぁ」と上司の愚痴から始まるのではなく、「なっ、ひどい上司だと思わない？」から始めることができます。

花子の感情を、観客・読者が知っていれば、「もう別れたいの！」という突然のセリフから始めることもできます。

こうすることで、シーンのテンポがよくなります。

②空舞台法

誰もいない状態から人物を登場させる方法が「空舞台法」です。空舞台法には、３つのパターンがあります。

・太郎と花子が別々の方向から登場する
太郎と花子が同じ気持ちを持っているときに効果的です。早く会って話し合わなければならないことがあるときなど、気持ちを出すことができます。もちろん、人物の登場の仕方には、キャラクターや貫通行動が表れます。

・太郎と花子が、一緒に登場する
２人の人物の間で、話が進んでいるときに使うことができます。２人の話し合いの結果を示すときに使いやすい方法です。例えば「だから、もう無理なの」という花子に対して、「だから、誤解だって」とすがりつく太郎、というような感じです。

・１人が先にいて、もう１人が後から登場する
登場するわずかな時間の差に、それぞれの事情の違いを暗示することができます。例えば、花子が泣きながら登場し、少し遅れて「だから、誤解だって」と言いながら、太郎が登場するという感じです。

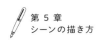

③板付き法×空舞台法

板付き法と空舞台法を併用する方法です。1人が待っていて（板付き法）、そこにもう1人が登場する（空舞台法）という描き方です。これは、待っている人物の気持ちを押したいときに効果的です。どのように待っているかを考えることも忘れないでください。

人物をどう出し入れするか、それだけで登場人物のアクション・リアクションのアイデアが生まれ、人物の感情や人物関係まで暗示することができます。実に便利な方法です。人物の出し入れを、何となくで考えていると、テンポの悪い作品になるのでご注意ください。

「人物の出し入れ」で忘れてはいけないのが、人物がそのシーンから退場するときのことです。登場と同じように、退場にも理由が必要です。また「シーン尻」と同じように、退場した側と退場を見送る側で、どちらに感情移入させたいのかを考えておく必要があります。

人物の出し入れの手法

手法	特徴	舞台の状態
板付き法 （消去法）	観客・読者がすでに知っている情報を省略できる	
空舞台法	登場人物が同じ気持ちを持っていることを表現できる	
	登場人物の話し合いの結果が伝わりやすくなる	
	登場人物の事情の違いを表現できる	
板付き法 × 空舞台法	板付きの人物の気持ちを強く表現できる	

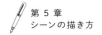

映画やテレビドラマを観ていると当たり前すぎて、気にも留めないかもしれませんが、違和感がないのは考え抜かれているからです。人物の出し入れだけに注目して、1本映画を観るだけでも、シーンを描く感覚を養うことができます。

意外性のある場所・時間帯

せっかくの休みの日に雨が降っていたら、外出するのが億劫になります。
私たちが、天気1つで気分の上がり下がりがあるように、物語の登場人物だって、天気や気温、季節や行く場所によって気分は変わります。それなのに、こういうことを忘れて、物語を書いてしまいます。原稿を書いているときは、部屋の中で原稿用紙やパソコン画面に向かっているためです。どうしても五感や皮膚感覚が失われます。顔を上げてみましょう。

これから描こうとするシーンが、いつ、どこで行われるのかを考えることも、おろそかにしてはいけません。シナリオ・センターの受講生のみなさんの作品でも、若い恋人同士の会話はカフェが多いですし、職業ものになると居酒屋が増えます。それが悪いわけではないですが、もう少し工夫が必要です。映像思考を使いましょう。

例えば、上司と部下が、深刻そうに話し込むシーンを書くとします。場所はどこがいいでしょうか。真っ先に思い浮かぶのは、会議室です。他も探してみましょう。会社の屋上、もしくは給湯室はどうでしょうか。完全な密室ではない分、会議室とは異なる雰囲気のシーンになりそうです。少し発想を飛ばして、上司の家や部下の家。大きく発想を飛ばして、猫カフェではどうでしょうか。

さらに、そのシーンが、いつなのかを考えてみます。早朝なのか、お昼ごろなのか、昼下がりか、夕方か、夕食時か、深夜なのか。時間帯を変えるだけでも、シーンの印象は変わります。

さらにさらに、そのシーンの季節を考えることでも、雰囲気は変わります。真夏の昼下がりの会議室と、真冬の夕方の会議室では、漂う空気感が異なります。

春夏秋冬という四季で考えるだけでなく、月ごとで考えてみることもできます。

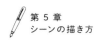

ここまできたら、天候も考えてしまいましょう。

晴れているのか、どんよりとした曇り空なのか、雨が降ってるのか、降っているなら、激しいのか、しとしと雨か、はたまた雪が降っているのか。空気はじめじめしているのか、乾いているのかなど、天候も考えてみると、シーンの雰囲気は変わります。不穏な雰囲気を醸し出すために、雷が鳴るという演出はよく使われる手法の1つです。

登場人物を配置する場所や時間、季節や天候を考えるだけで、シーンの印象はガラッと変わります。だからと言って、奇抜なアイデアを出せばいいわけではありません。登場人物のアクション・リアクションを描く上で、もっとも効果的な組み合わせは何かを軸に考えます。シーンの中心は、登場人物だということを忘れないでください。

登場人物のアクション・リアクション × 場所 × 時間帯 × 季節 × 天候

遊びの発想〜絵柄で考える

映像思考を使ったシーンづくりについて、いいことをお伝えします。キーワードは、「絵柄」です。

先に意外性のある場所・時間帯のところで説明したように、これから描くシーンが、どこで、いつなのかを考えます。そして、その場所での登場人物の出し入れを考えます。そこまでシーンが思い浮かんだら、そのシーンを、頭の中にカメラがあると思って撮影してください。その画面に映った情景は、どれくらい具体的でしょうか。

例えば、登場人物がいる場所が、喫茶店だとします。どんな喫茶店なのか、どこまでイメージが湧いているでしょうか。

壁の色は何色か、壁にメニューは貼られているのか、貼られているとしたら、メニューは手書きか、手書きじゃないのか。手書きだとしたら、どういう字体か。

登場人物の髪型や服装は、どうでしょうか。手にペンを持っているとして、街の文房具屋さんで買えるようなペンなのか、それとも、もう少し高価なペンでしょうか。登場人物が座っている椅子は、どんな椅子でしょうか。その椅子に、どんなふうに腰かけているのでしょうか。

これらのことを描写するか否かには関係なく、頭の中に浮かんでいるか、浮かんでいないかでシーンのリアリティは変わってきます。それは物語全体のリアリティにも影響します。リアリティと言っても、現実的か否かという意味ではなく、登場人物の息づかいを感じるかどうかという意味です。

絵柄で考えると、シーンを描く発想のバリエーションも増えます。

例えば、喫茶店の壁のメニュー表までイメージできていれば、貼られたメニュー表がほんの少しだけ斜めだ、というアイデアが生まれます。それが気になって仕方がない主人公の姿を描くことができます。主人公がいきなり席を立って無言で直し始めたら、神経質すぎる性格で、それゆえに空気を読まない行動をしてしまう（共通性）というキャラクターが描けるかもしれません。

もしくは、メニュー表を勝手に直し始めた途端、向かいに座っていた恋人が、突然「もう、無理」と別れ話を切り出すシーンにもできます。

喫茶店で別れ話となると、2人が向かい合って話しがちですが、絵柄のイメージができていれば、他のアイデアが出てきます。ありがちなシーンを回避できるのです。

登場人物に別々のことをさせる

登場人物の出し入れ、かつ絵柄で考えることができると、登場人物それぞれが何をしているのかも考えられるようになります。

初心者のうちは、どうしても登場人物同士を向かい合わせてしまう傾向があります。新井一は、「登場人物同士を向かい合わせてしまうと、セリフが理屈っぽくなってしまう」と言っています。登場人物を向かい合わせず、別々のことをさせているほうが、意外なセリフが出てきて、シーンが面白くなります。

例えば、放課後の教室で恋愛話をしている男子高校生の太郎と次郎がいるとします。面と向かった状態だと、「太郎、花子のこと、まだ好きなんだろ?」、「そんなことねぇよ。もう忘れたよ」というようなセリフのやりとりが始まり、大抵の場合、うまくいきません。

そこで、登場人物の配置と、そのときに何をしているかを考えます。次郎は一番前の席に座って、太郎に話しかけます。太郎は黒板に書かれた字を消しています。

次郎のセリフは、黒板を消す太郎の背中に向けて放たれます。太郎のリアクションは、次郎からは見えない太郎の表情で表現できますし、黒板を消す手が止まる太郎の動作でも表現できます。

セリフで表現する場合も、黒板を消す作業とからめて「ぜんぜん、消えねぇなぁ」とつぶやくこともできます。つぶやきながら、黒板をゴシゴシと消す姿を描けば、セリフも飛びますし、太郎の想いが伝わってきます。

登場人物が、そのシーンで何をしているのか、映像思考を使ってアイデアを出してください。

人物の出し入れ × 絵柄で考える ＝ 面白いシーン

小道具を活用する

小道具というのは、映画やテレビドラマで使われる手法の1つです。映像の場合は、カメラの枠を利用することで、映したいものを映すことができます。そのため、小道具が登場人物の心情などを表現するのに活躍します。映画監督のアルフレッド・ヒッチコックは、「映画は小道具、小道具、小道具」と言ったそうです。

小道具をうまく使うことで、①登場人物の紹介、②登場人物の心情の表現、③登場人物の行動を引き出すことができます。つまり、小道具1つで、説明的なセリフや描写を省略することができます。「小道具法」は、小説やマンガなどでも使うことができるので、ぜひ手の内に入れてください。

①登場人物の紹介

先ほどの喫茶店の例で、登場人物がどんなペンを持っているかを考えるとありましたが、ペン1つでも人物紹介ができます。細かい貝細工が施された万年筆がさっと出てくれば、かなりの生活レベルで、こだわりの強い人物だということがわかります。もしくは、誰かが落としたペンをすかさず拾ってあげる、などその登場人物らしいリアクションを小道具によって引き出すことができます。

②登場人物の心情の表現

小道具を使うことで、人物の心情を表現することができます。そのときのポイントは、小道具に因縁を持たせることです。

例えば、主人公が大切にしているコンパクトがあったとします。これを、とくに意味もなく、ただ主人公が大切にしているだけでは、小道具として意味がありません。
このコンパクトが、母親の形見であるとか、お世話になった先輩とお揃いであるとか、主人公がコンパクトを大切にする因縁が必要になります。そうした因縁があることで、コンパクトを見つめているしぐさや、コンパクトをギュッと握る動作に、主人公の心情が表れます。

小道具を使って、人物関係を含めた、心情を表現することもできます。
例えば、別れた恋人と一緒に飲んだカクテルがあったとします。そのカクテルを飲んでいれば、恋人のことを思い出しているということがわかるでしょう。カクテルを飲みながら、不意にグラスを投げたりしたら、別れたことへの後悔や苦しみなどを表現できます。

小道具を使うことで心情の説明を省略できます。観客・読者は主人公の心情を想像します。小道具によって観客・読者を物語の世界に引き込むことができます。

③登場人物の行動を引き出す

「新たな情報」を投入することで、登場人物のアクション・リアクションを引き出すとお話ししましたが、その方法の１つに、小道具を使うこともできます。

例えば、小さい頃に大好きだった絵本をたまたま見つけたことから、幼少期の思い出をめぐる物語になったり、ミステリーものなどでは、小道具が発見されることで新たな展開を迎えたりします。

このように小道具を使うことで、様々なことが表現できます。その前提として、描こうとしているシーンのイメージが、映像で浮かんでいることが重要です。そうなることで、思わぬものが小道具として使え、物語を魅力的にしてくれます。

小道具の使い方で参考になるのが、１９６０年前後につくられた映画です。近年の映画と比較すると、その時代の映画のほうが小道具を意識的に使っているように感じます。おそらく映像表現の可能性というものを模索していたからでしょう。

そういう意味では、いま一度、映像思考に向き合うことで、新たな作品が誕生するのではないでしょうか。

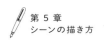

間接表現「シャレード」を使う

あまり聞きなれないかもしれませんが、映像表現の技術の1つに「シャレード」があります。シャレードとは、1つのもの（小道具や動作等）を見せることで、そのもののズバリを的確に表現する技術のことです。

『結婚できない男』『梅ちゃん先生』の脚本家の尾崎将也さんは、新井一が著書の中で取り上げている「シャレード」について、ドラマ関係者や脚本を学ぶ人全般にもっと普及すべきだとおっしゃっています（尾崎将也『3年でプロになれる脚本術』河出書房新社）。これは、創作全般に言えることです。

ここでは、3種類のシャレードを紹介します。

①人物に対するシャレード
②人物関係に対するシャレード
③場所に対するシャレード

①人物に対するシャレード

人物に対するシャレードを使うことで、人物紹介をすることができます。

例えば、主人公が住んでいる部屋があるとします。その部屋のリモコン類が、大きい順に机の角に揃えて並んでいたら、相当神経質なキャラクターだと伝わります。

大きなカバンにいろいろなものが入っていて、ノートパソコンを何台もそこから出し、「あのデータ、どこにやったかな」とぶつぶつ言っていれば、整理整頓ができない変わり者の人物として紹介することができます。

「あの人は、相当神経質だよな」「変わり者だよね」と噂話で紹介する方法では、説明的です。シャレードを使って人物紹介ができないか、考えてみてください。

②人物関係に対するシャレード

人物関係にも、シャレードを使うことができます。

例えば、男性の肩にホコリがついていたとします。そのホコリを、女性が取ります。男性のホコリを、何も言わずにスッと女性が取る場合、２人は近しい関係です。

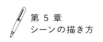

男性のホコリを、「ホコリがついていますよ」と言って取る場合、2人の関係はそれほど近くありません。

また、男性のホコリに気づいてチラッと見たけれど、女性は何も言わない、となれば、男性に対して何かしら嫌な気持ちがあるか、2人の関係が冷戦状態にあるかを表現することができます。

何気ないことですが、登場人物のしぐさ1つで人物関係を表現できます。

人物関係に対するシャレードは、大勢の人物関係を映像的に表現するときにも使えます。例えば、最初はまとまっていないアニメ制作チームがあって、会議室にメンバーがパラパラと足並みも揃わずに向かいます。チーム内のまとまりのなさが伝わります。

物語が進行していく過程で、制作チームがまとまり始めます。監督を先頭に、気合の入った表情のメンバーたちが、会議室に向かう様子を描けば、一致団結したことが観客・読者に伝わります。これも、人物関係に対するシャレードです。

小道具法と掛け合わせることもできます。

別れた奥さんのことが忘れられず、ベッドの脇に元妻の愛読書（小道具）を置いている主人公。ひょんなことからダンスに夢中になり、ある夜の練習後にクタクタになって帰ってきて、ベッドに倒れ込む。その拍子に元妻の愛読書が床に落ちる（シャレード）。気づかずに寝込む主人公――。

元妻の愛読書が床に落ちることで、主人公の心の中から元妻の存在が消えつつあることをそれとなく表現できます。

③場所に対するシャレード

どんな場所なのかを紹介するときにも、シャレードが使えます。

簡単な例で言えば、人気のラーメン屋であれば、店先の行列で表現することができます。では、人気のないラーメン屋はどうでしょうか。まず、全然お客さんがいないという状況が思い浮かぶと思います。ですが、それだけでは、単にそういう時間帯なだけかもしれません。

ラーメン屋の主人が、椅子に腰掛けて競馬中継を見ながら競馬新聞を広げていたり、子どもがお店のテーブルで宿題をやっていたりすると、人気のなさが表現できます。お店の様子が、シャレードになるわけです。

📖クリエイティブを爆発させる

シーンこそ、作家の腕の見せ所です。

観客・読者が、目にするのはシーンなのですから。あなたの創造力をぶつけてください。面白い物語を描くために必要な表現技術は、お渡ししました。あとは、あなたの腕に表現技術がつくまで、何作も作品を書いていくだけです。

創作は頭で理解しただけでは、うまくなりません。書き続ける必要があります。「正しく悩む」力を手にして、あなたにしか書けない物語を観客・読者に届けてください。

第 6 章

物語の活かし方

Section 1

シナリオを書きたい人、小説を書きたい人へ

表現技術は、いろいろなところであなたを救う

いよいよ、この講座も最後の章です。

鋭いみなさんならお気づきかと思いますが、これまで本書で扱ってきたシナリオ・センター式の「物語のつくり方」は、様々な分野で役立ちます。なぜなら、表現技術は、あなたの考えを形にしてくれるからです。

この最終章から読んで、あなたが興味のある分野にどんな技術が役立つのか、確認することもできます。あなただけの「創作の地図」をつくってください。

全部で4つの項目について、お話しします。とはいえ、1つの項目だけで書籍一冊分の解説を必要とするため、大切な部分だけ、かいつまんでお伝えします。

シナリオは映像表現、小説は文章表現

すべての創作は、人間を描くことを目的にしています。作者の捉えた人間の姿を、作者の得意なジャンルで表現することで、作品が生まれます。

なかでもシナリオと小説は、どちらも原稿用紙に書きますし、何だか親戚のような感じがします。ですが、シナリオと小説では、表現の形式が大きく異なります。赤の他人です。

シナリオは、映像作品をつくるための設計図です。観客・視聴者に映像で訴えます。そのため、シナリオは「映像表現」と言います。

小説は、文章で読者に訴えます。そのため、「文章表現」と言います。

映像表現と文章表現は、何が異なるのでしょうか。例えば小説で、こんな文章があったとします。

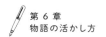

窓の外を見ながら、今日から頑張っていくぞ、と新井は思っている。

文章表現であれば、新井が頑張ろうと思っていることがわかります。ですが、これを映像で表現するとどうでしょうか。映像では、ぼーっと窓の外を見ている新井の姿が映るだけです。「今日から頑張っていくぞ」という新井の思いは、映像には映りません。シナリオでは、登場人物の気持ちや考え、人物像、人物関係、目的など目に見えないものを、映像に映るものだけで表現します。

ここがシナリオの難しいところであり、面白いところです。

小説は文章表現です。映像に映らない主人公の心情も、文章によって表現することができます。だからこそ、文章力が求められます。そして、その文章に文体と呼ばれる作家性が生まれます。

目に見えないものを、文章の力で表現し、物語を構成していくのが、小説を書く面白さであり、難しさです。

シナリオ……目に見えないものを、映像で表現する
小説………目に見えないものを、文章で表現する

構成の立て方は、シナリオにも小説にも役に立つ

シナリオと小説の違いはありますが、シナリオの構成術は小説においても活用できます。実際にシナリオ・センターでは、「シナリオの技術で書く小説講座」を、脚本家であり、小説家でもある柏田道夫さんを講師に開催しています。

シナリオの構成術は、序破急、起承転結、ハリウッド式三幕法など、かなり掘り下げて発展してきました。そもそも、なぜシナリオにおいて構成術が発展してきたのでしょうか。

シナリオは、映像表現です。映像には時間という縛りがあります。時間の制約の中で、観客・視聴者を感動させる必要があることから、構成術が発展してきました。

しかも映像の場合は、観客の反応を、時間を軸に計測することができるという特性もあります。デジタル化により、その傾向はさらに進んでいます。シナリオの構成術

には、観客・視聴者の心を意図的に動かそうとする目論見があります。

構成術は、小説にも応用が可能です。長編の小説を書きたいけれど、何から書き始めればいいかわからないという方は、第4章を参考にしてください。

📖登場人物ならではの行動が観客・読者を惹きつける

シナリオにせよ、小説にせよ、登場人物のキャラクターとそのキャラクターならではのアクション・リアクションを描くことによって、観客・読者を惹きつけます。とくに、エンターテインメント性の高い作品になれば、キャラクターの魅力が強く求められます。

映画で言えばアート思考の強い作品、小説で言えば純文学作品などでは、登場人物のキャラクターをどれくらい表現するかは議論の分かれるところです。

とはいえ、すでにみなさんは、登場人物のキャラクターのつくり方は、マスターしたはずです。まずはキャラクターをしっかりとつくり、その上で描きたい作品の世界観に合わせて登場人物のキャラクター性をどう出すべきか、調整してください。

書くことでしか上達の道はない

シナリオにも、小説にも、その他すべての創作にも共通する点があります。創作は、書かなくては決して上達しない、という点です。

本書は、みなさんの役に立とうと一生懸命書いていますが、読むだけでは、うまくなりません。創作は、書くことが第一です。

ただし、闇雲に書けばいいわけではありません。サッカーがうまくなりたいからと言って、闇雲にボールを蹴っても、靴底を減らすだけ。創作なら、原稿用紙を汚すだけ、です。

では、上達のための条件とは何でしょうか。

1つ目は、課題を設定することです。自由に書いていい、と言われても、なかなか書けないのが人間です。習作を書くための課題を設けてください。例えば、「魅力的な男」「駅」「ハンカチ」などです。課題の長さは、短くてかまいません。

2つ目は、その課題に、締切をつけてください。締切がなければ、これまた人間はなかなか書くことができません。

3つ目は、書いたものを誰かに見てもらってください。客観的な指摘ほどありがたいものはありません。

以上の3つは、最低でもクリアしてほしいところです。贅沢を言えば、各課題にどんな表現技術を向上させるためなのかという狙いがあることと、その狙いを理解した上で、アドバイスをくれる人がいたら、最高です。

この最高の形が、シナリオ・センター式です。新井一は、「(シナリオ・センターで)20枚シナリオを50本、わずか1000枚書いてくれればプロの腕にしてみせるよ」と言っています。

書き続ける環境をつくることも、上達するためには必要です。執筆する時間もあって、お金もあって、周りの理解もある、そんな都合のいいタイミングは、いつまでも訪れません。やるか、やらないか、それだけです。あなたの創作を支援し続けてくれる居場所を見つけてください。

Section 2

自分史やエッセイを書くときのコツ

実体験を伝えることは難しい

自分史を書きたい、エッセイを書いてみたいと思って、本書を手に取ってくださった方もいるかと思います。就職活動などで自己PRを書く参考になる本を探していた方もいるかもしれません。

「私、いろいろな経験をしているから、それをまとめたら、すっごい面白いものになるはずなの」と思っている方は多いようです。

ですが、どういうわけか、なかなか面白く伝わらない。自己PRであれば、なかなか魅力的な人物として認識されない——なんてことがあったりします。

原因は、あなたにあるわけではありません。そもそも、実体験というものを、同じ体験をしていない相手に面白く伝えるのは難しいのです。

海外旅行に行ってきた友達から、スマートフォンの写真を見ながら聞く「このパスタが美味しかった」「ここのホテルは最高だった」「このときの子どもの驚いた顔が笑えた」という話は、10分も聞けばお腹一杯です。

どんなに面白い出来事も、経験した側とそうでない側には隔たりがあります。あなたの経験を魅力的に伝えるには、やはり表現技術が必要です。ぜひ、第5章までの内容を参考にしてください。

その上で、自分史やエッセイだからこそのポイントがあります。それは、書く前に、自分の体験や体験している自分自身を、棚卸しすることです。

📖 描きたい（遺したい）シーンの棚卸し

実体験を魅力的に伝えるためには、書く長さに関わらず、描きたいシーンをはっきりさせることです。

シナリオ・センターにも、「自分史が書きたいから」と受講される方がいます。「私、いろいろな経験をしているから」とうれしそうにお話ししてくださいます。

思いはとても大切ですが、曲者なのが「いろいろ」という言葉です。「いろいろ」の中に、どんなシーンがあるのか、棚卸しをしましょう。

自分史などの長いものになれば、生まれたときから70歳の現在までで、描きたいシーンをどんどん出していきます。

- 孫を初めて抱っこしたときのシーン
- 我が子が独立したときのシーン
- 自身が表彰されたときのシーン
- 揉めた株主総会のシーン
- 初めて親に褒められたシーン

シーンを出してみると、生まれたときから順に描きたいわけではないかもしれません。シーンの候補を出していくことで、あなた自身が描きたい範囲が見えてきます。

伝えたいテーマの棚卸し

描きたいシーンが揃ったら、それらのシーンを使って、物語全体でどんなことを伝えたいのか、テーマを考えます。テーマを考えるときのポイントは、「〇〇は、△△だ」です。シンプルに考えてみてください。

テーマがはっきりしてくると、あなたが自分史の中で何を伝えたいのかが明確になってきます。「友情は、大切だ」と、「家族の絆は、尊いものだ」というテーマでは、「我が子が独立したときのシーン」でも描き方が変わります。テーマは、重要です。

自分史の場合、あなた自身がこれまでの人生の中で大切にしてきたものが、テーマとなります。せっかくの機会です。大切にしてきたものを考えてみてください。

自分のキャラクターの棚卸し

自分史やエッセイでは、書き手であるあなた自身のキャラクターも重要です。そのため、あなた自身が、どんなキャラクターなのか、自分自身を見つめる作家の眼が必要です。ここが、難しくて、面白いところです。登場人物のキャラクターで考えたように、あなた自身の「〇〇すぎる性格」「憧れ性」「共通性」を押さえてください。

自分史やエッセイの場合は、すでに「あなた」という実在の人物がいます。創作す創作するわけにはいきません。そこで、あなた自身のこれまでの行動（アクション・リアクション）から、自分自身の「〇〇すぎる性格」「憧れ性」「共通性」を考えていきます。

ここまで読んで、みなさんは思うはずです。「一言で言えるほどシンプルな性格ではない……」と。たしかに、人間にはいろいろな面があります。多面的です。家ではダラダラしているけれど、外ではテキパキと働いている方、友達と飲むときは、話を回すタイプだけれど、職場の飲み会ではイジられ役を買って出る方もいます。

私自身、この原稿の進行スケジュールを手帳に書き込み、計画を立てます。心配性だからです。ですが、スケジュールに余裕ができると、「まぁ大丈夫だろう」とのんきに構えてしまいます。

人間は、多面的です。自分って、どんな人間なのだろう、と思うものです。そんなときは、行動の細かい部分に注目してください。例えば、ケチな性格の人物がお金持ちになっても、行動の端々にケチが覗きます。タクシーの少額のお釣りもきっちりと受け取ったり、靴下を穴が開くギリギリまで履いていたり――「行動は変わるけど、性格は変わらない」のが人間です。

私たちは多面的ですが、その多面的な部分に共通するところがあります。それが日々の行動に表れます。その行動から見え隠れする性格を、1つに決めます。決める軸は、自分史が書きやすいか否かです。自分らしい行動を描きやすい性格に設定してください。

もしも私が自分史を書くなら、「のんきな性格」よりも「心配性な性格」のほうが、行動を描きやすいので、後者で設定します。性格が決まったら、「〇〇すぎる性格」を使ってデフォルメします。

性格がなかなか決められないという方は、ご家族や友人に取材をしてみてください。意外な気づきがあって面白いですよ。

🕮構成を考える

描きたいシーン、テーマ、キャラクターの棚卸しが終わったら、いよいよ構成を考えます。構成を考えるときは、「構成機能一体型箱書シート」（185ページ）を使うと、全体像がはっきりと見えてきます。

ここで、1つ注意が必要です。

例えば、テーマを「友情は、大切だ」にしたとき、どうしても友情を大切にしてきたエピソードを集めがちです。そうすると、対立も葛藤も相克もない自分史になってしまいます。友達を大切にしてきたから、友達と仲良く過ごした人の話になってしまうわけです。人生、そんなにうまくは運びませんし、読み物としても、ちっとも面白くありません。

友情を大切にしたかったけど、自分の気持ちを優先させてしまった瞬間もあったはずです。問題や壁にぶち当たり、それを乗り越えてきた中で、「やっぱり友情は大切だよね」と思ったからこそ、今回のテーマを選んでいるはずです。なので、失敗や苦い経験、ちょっと向き合うのもしんどいことからも、目をそらさないでください。キーワードは、第4章の構成で説明した「〜して困る」です。

Section
3

マンガ原作をつくるときのコツ

マンガ原作者は、何をするのか

「マンガが好き。だけど絵は描けない……」という方も、マンガ原作を書くという仕事があります。

マンガ原作には、大きく2種類あります。1つ目は、ネーム原稿といって、コマが割ってあって、簡単な絵と吹き出し、そしてセリフが書かれているもの。2つ目は、文字原作といって、シナリオ形式で書かれているものです。

ここでは、文字原作を書きたいという方に向けて、押さえておきたいポイントを解説していきます。「絵を描くのは得意なんだけど、物語がつくれない……」という方にも参考にしてもらえたらと思います。

シナリオ・センターでは、「マンガ原作講座」を開催し、コンペを実施したり、受講生の方をマンガ編集者の方に紹介したりします。ここでは、マンガ編集者の方とのやりとりの中で気づいた、マンガ原作に求められているものを整理してみます。

マンガ原作と映像シナリオとの違い

そもそも、マンガ原作と映像シナリオとの違いは何でしょうか。

まず、マンガは二次元で表現される媒体です。それに対して、映像は三次元です。シナリオは、映画やテレビドラマを映像にするための設計図なのに対して、マンガ原作は作画をするための設計図です。人間を描くために、映像を使うのか、絵を使うのかには大きな違いがあります。マンガでは、感情の機微などを俳優の演技に託すことができません。

マンガは、１ページ当たり４コマとか８コマとか、入れられるコマ数に限りがあります。結果、１話当たりに使える総コマ数はそれほど多くはありません。マンガは、映像に比べれば圧倒的に少ない情報量と、１コマも無駄にできないという制限のもとで、ドラマを描く必要があります。

さらにマンガの場合、1話の分量は決まっていますが、読切でない限り、連載が続いていきます。連載が何年、何十年と続く作品もあります。このあたりも、話数が決まっているテレビドラマや、時間が決まっている映画とは異なる点です。

なぜ、マンガ原作者が必要とされるのか

そもそもマンガ原作者は、なぜ必要とされるのでしょうか。

実は、この答えに、マンガ原作者に求められているものがあります。

一般的には、マンガと言えば、1人のマンガ家が作画と作話の両方を担っているイメージがあります。そういうパターンは、マンガ編集者の方に言わせると、奇跡のようなことだそうです。

なぜかと言うと、絵も描けて、かつ物語も書ける、しかも企画力もあるという、3つの才能がないとマンガ家にはなれないからです。

言うなれば、マンガ家は、たった1人で映画の世界をつくれる人です。企画、脚本、監督、撮影、照明、衣装、大道具、小道具などなど映画に必要なすべての役割を、マンガ家は1人で担います。まさに奇跡の人です。

奇跡の人は、そう多くはいません。マンガ家志望の方は、「絵を描くのが好きだから、マンガ家になりたい」という方が多く、「物語をつくるのが得意」という方は少ない印象だと、マンガ編集者の方は言います。

そこで必要とされたのが、マンガ原作者です。物語を描くスペシャリストとして、作画家とタッグを組んで、マンガをつくり上げます。

つまり、マンガ原作者には、作画家では絶対に思いつくことも、描くこともできない、魅力的な物語を書く力が求められます。さらに、原作者しか考えつかない「新しい」「珍しい」「面白い」企画をつくる力も求められます。ちらっとでも、「これなら、自分でも書けそうだな」なんて作画家に思われてはいけないわけです。

作画家の画力に頼らないドラマをつくろう

作画家がマンガ原作を読んで、コマ割りをつくり、マンガを仕上げていきます。こう考えると、マンガ原作は作画とセットで魅力が生まれればいいと思いがちです。

しかし、編集者の方に伺うと、作画家の画力に頼らずに、マンガ原作だけで物語として成立する必要があると言います。マンガ原作でも、求められることは魅力的な物語をつくる力、ということです。

物語を引っ張る主人公を生み出そう

マンガ原作で求められるものの1つに、魅力的な主人公が挙げられます。人気のマンガ作品に共通するのが、魅力的な主人公です。物語を引っ張り続ける主人公がいてこそ、マンガは成立します。

マンガは、イラストという二次元を使った創作です。実際に動くわけではなく、話すわけでもありません。ですが、読者の頭の中では、登場人物たちの言動は映像のように再生されています。その証拠に、マンガ作品がアニメ化されたり、実写化されたりすると、イメージと合う、合わないという話が出てきます。

魅力的な主人公をどうつくるのかについては、すでに第3章の登場人物のつくり方でお伝えしました。

マンガ原作の場合、とくに重要になるのは、「〇〇すぎる性格」の部分です。作者の中で、性格がはっきりとイメージできていないと、魅力的なアクション・リアクションは描けません。

性格をはっきりさせた上で、キャラクター設定をつくってください。

主人公と脇役の関係性をつくろう

マンガでは、主人公とともに脇役も大切になります。多くの作品に、名脇役がいます。とくに、主人公の相棒役やライバル役は、脇役の中でも、常に主人公を困らせる役割を担って、主人公のキャラクターを引き立てます。

主人公と脇役との関係性を魅力的に設定すると、物語の魅力は一気に増します。また、長期連載になった場合に、人物関係のズレは、キャラブレを感じる大きな原因になります。１４６ページで取り上げた、登場人物同士の社会的関係性と内面的関係性を考えておきましょう。

脇役が主人公以上に目立たないために

脇役は、いつも主人公を困らせ、いきいきしています。主人公は、脇役にいつも困らされています。受け身の状態が多くなります。そのため、主人公よりも脇役の人気が高まる、ということがよく起こります。

登場人物に人気が出ることはいいことですが、これからマンガ原作に挑戦しようとする段階では、主人公と脇役の描き分けは大切です。脇役が意図せず主人公以上に活躍してしまい、物語のバランスを壊すようでは問題です。

そうならないためには、主人公はラウンドキャラクター、脇役はセミラウンドキャラクターとして扱ってください（150ページ参照）。そうすることで、シーンの軸を常に主人公に置くことができます。

ちなみに、脇役のスピンオフ作品の多くは、本編では描かれていない部分が描かれることで、もっとその人物のことを知りたいというファンの期待に応えています。

主人公の貫通行動を示す

マンガだけに限った話ではありませんが、物語全体を通しての主人公の貫通行動を示すことも大切です。とくにマンガの場合は、早い段階でこの主人公はどこに向かうのか、ということを読者に伝える必要があります。

貫通行動を示すためには、主人公にはどんな欲望があるのか、その欲望を達成するために何を目的にするのかを整理しておく必要があります。

例えば、「大将軍になりたい」という欲望を持った主人公なら、「大将軍になる」という目的を達成するために、「どんなことがあっても、あきらめずに敵を倒していく」という貫通行動が生まれます。

主人公の欲望と目的、そして、そのための貫通行動がはっきりすれば、どんな障害をぶつければ主人公が困るのかを考えやすくなります。

人気マンガの連載が何十年も続いていくのは、貫通行動が明確であることで、障害のバリエーションをつくり出すことができるからです。

では、主人公が向かうべき道は、どの段階で読者に伝えるべきでしょうか。マンガであれば、第一話の段階で読者に伝えるべきです。

読者というのは、意識しているか否かに関わらず、「このマンガはどういうマンガだろうか」と予想を立てながら読んでいます。そのため、第一話の段階で、主人公の貫通行動に感情移入ができるだけの「欲望」と「目的」の提示が必要になります。

どんな物語でも、第一話でどれだけ惹きつけられるかは、作者の腕の見せ所です。

📖読者が知らない世界を描こう

マンガから「〇〇の知識を得た」という経験が、あなたもあると思います。読者の知らない世界、作画家や編集者も知らない世界を描くことができると、マンガ原作者としての強みになります。

それができたら苦労しないよ、という声も聞こえてきそうです。

読者の知らない世界を描くパターンを大きく3つに分けてみました。もっと細かい分類も可能ですが、わかりやすさを優先して3つにします。マンガ原作を考えるヒントにしてください。

1つ目は、マンガの内容が、学びそのものになるパターンです。いわゆるノウハウもの。読んで得する系のマンガです。

例えば、破天荒な教師が偏差値底辺校の生徒に、一流大学に合格するための勉強方法を指南するような作品です。「勉強方法」というのが、モチーフの1つです。ここを自分のよく知っている分野にできないでしょうか。料理や子育て、音楽、仕事術、歴史、ファッション、ポイント活用、投資、本の読み方、ノート術、モテ仕草、介護、節約などなど、身近なところから探してみてください。

自分にとっては普通だと思っていることに、思わぬマンガ原作のヒントがあるかもしれません。

2つ目は、多くの人が知らない世界の話を描くパターンです。

一流の殺し屋の世界や、イヌイットの文化、サッカーのユースチームなど、物語の「モチーフ」と舞台となる「場所」に特徴がある作品です。キーワードは、「情報性」です。もしも専門的な知識を持っている、もしくは、興味を持って調べることができるという分野があれば、チャレンジしてください。

職業もの、という言い方もできるかもしれません。映画の企画でも、あまり知られていない職業というのは、作品の魅力になると考えられています。身近に変わった職業の方がいたら、取材してみるのも手です。

SFなどのフィクション度の高い作品も、このパターンに入ります。独特の世界観がポイントになります。第2章を参考にしてください。

3つ目は、読者が言葉にできない感情の追体験を描くパターンです。少し抽象的かもしれませんが、文芸色の強い作品には、この傾向があります。「もしも、離れて暮らしている父親に、あらぬ疑いがかけられて、数年ぶりに会いに行くとしたら」「もしも、母親が嫌っている関西で、しばらくの間、暮らさなければいけないとしたら」など、「もしも〜」から生まれる物語です。

こういった作品は、専門性が高くない分、アイデアの新鮮さ、主人公の感情を捉える作家の眼、そして表現力が求められます。作家性の強い原作と言えます。

誰もが何となく抱えているけれど、名状しがたい感情を表現できれば、誰にでも書けそうで、あなたにしか書けない作品になります。

Section
4

ゲームシナリオをつくるときのコツ

ゲームシナリオに求められるのはドラマ性

ゲームシナリオでは、ジャンルなどによって、シナリオの必要度と重要度は変わってきます。シナリオの必要度と重要度が高いゲームシナリオほど、求められるのは「ドラマ性」です。

シナリオ・センターでは、ゲーム制作会社向けに、ゲームシナリオのプロットのつくり方、ディレクションのやり方について、研修をしています。とはいえ、シナリオ・センターは、ゲームシナリオについては専門外です。実際、研修のご依頼を受ける際にも、あらかじめ担当者にゲームは専門外だという旨をお伝えします。ですが、どなたも「ゲームシナリオもドラマ性を必要とするので、物語づくりの基本から教えてほ

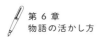

しい」とおっしゃいます。

ゲームシナリオの場合は、ユーザーの動向をデータによって把握できるからか、ユーザーにとって魅力的なシナリオをどうつくるかについて、担当者は貪欲です。ここでは、ゲームシナリオを書きたい方や、ゲームシナリオのディレクションなどに関わっている方に向けて、ドラマチックにするためのポイントを紹介していきます。

ゲームシナリオこそ、世界観の設定をシンプルに考える

ゲーム制作会社で研修をしていて感じることがあります。それは、世界観の設定を複雑に考えすぎる傾向があるということです。たしかに、ユーザーに興味を持ってもらうため、他の作品との差別化を図るために、魅力的な設定は欠かせません。

ですが、いろいろな要素を詰め込みすぎて、シーンにしたときに、魅力的になりにくいことが多いようです。そのため、まずは「誰が、何をしようとする話か」をシンプルに考えることをおすすめします。そうすることで、企画を考える側、ライティングする側の共通理解がしやすくなります。

シンプルに1行で考えたら、「テーマ」「モチーフ」「素材」を使って、世界観の設定

を膨らませてください。

企画を考えるときの発想トレーニング

「物語の設定が思いつかない」「季節などに合わせたイベントシナリオのネタが尽きた」とならないために、日頃から発想トレーニングをしてください。第2章で取り上げた「あべこべ法」です。

「あべこべ法」のコツは、まずいったん、誰もが「あるある」と思うようなベタなネタを思いつく限り考えてしまうことです。「あるある法」で、ベタなネタを考えたら、それをあべこべにしてみてください。「あるある」に対して、「あべこべ」を考えてみると、意外な発想ができます。

さらに「衝突法」もおすすめです。衝突法とは、まったく関連のない3つの言葉から話をつくる、という落語の三題噺からヒントを得た発想法です。まったく関係のないアイデアをぶつけます。

例えば、バレンタインのアイデアに、目の前にあるテレビのリモコン、パソコン画面、コーヒーカップをぶつけてみる、家から出てみて、地元の小学校、空模様をぶつけてみる、などなど、とにかくアイデアとアイデアをぶつけてください。

魅力的な「起」をつくろう

ゲームシナリオの傾向として、物語の「起」に当たる部分が説明的になりがちです。ゲームのチュートリアルの場合もあるので、なおさらそう感じる部分があります。

スマートフォンが普及し、恋愛シュミレーションゲームがアプリで楽しめるようになった2012年前後に、いくつかのゲーム制作会社からシナリオのディレクションをしてほしいという依頼がありました。

ゲームシナリオの傾向として、映画やテレビドラマのシナリオと比べると、起承転結の「起」が、かなり長く説明的に感じたのを覚えています。いまは、当時ほどではありませんが、それでも起には、同じような傾向を感じます。

起承転結の起は、伝えるべきことが多いため、説明的になりがちです。凝った設定のゲームシナリオの場合、その傾向が強くなります。説明が長いと、それだけドラマ

「起」は栗ようかんの栗の部分

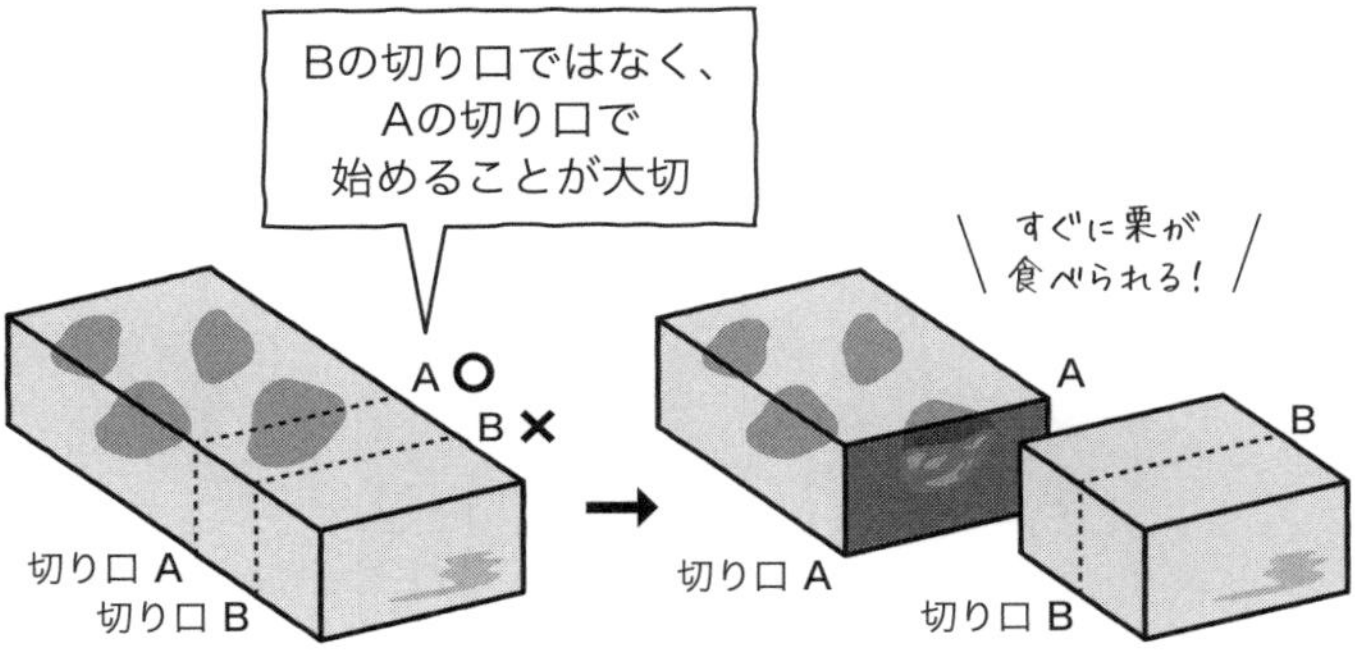

のはじまりが遅くなります。すると、ユーザーがゲームから離脱してしまいます。

起は、これから起きるドラマの近くから始めることを意識してください。栗ようかんなら、栗のあるところから始める。それがシナリオ・センター式「起のコツ」です。

「説明セリフ」を回避しよう

セリフは宿命的に、すべて説明だという話を第5章でお伝えしました。「説明セリフ」をなるべく回避することが、ゲームシナリオにおいても重要です。

ゲームシナリオの場合、基本的には静止したイラストにセリフを合わせます。イラストでの表現に制限があるため、セリフで多くを伝える必要があります。そのせいか、気をつけないとセリフが説明的になりがちです。セリフを説明的にしないためには、登場人物のキャラクターを軸に考えること、そして、登場人物の感情を出すことが大切です。登場人物の履歴書を正しくつくってください。

表現技術は様々な創作に活かせます。さらに言えば、ビジネスにも日常のコミュニケーションにも、表現技術は活用できます。プロになるかどうかに関わらず、物語づくりは、あなたの人生を豊かにしてくれます。

どうぞみなさん、楽しみながら腕を磨いてください。そして、「正しく悩む」日々を満喫してください。

止めないこと、一行でもいいから書くこと。アイデアはどんな脚本家でも悩んでいると思います。

岡田恵和『月刊シナリオ教室』２０１５年11月号

おわりに――創作講座はおしまい。あなたの創作は続く――

「シナリオ・センター式」創作講座のご清聴、ありがとうございました。

本書は、もしも新井一が新作を執筆するなら……と、天国の祖父と対話をするように書きました。「物語をつくりたい」と思ってもらえたら、何よりです。

タイトルに「シナリオ・センター式」と入ることになり、受講生や出身ライターのみなさん、小林幸恵代表や講師、事務局の仲間たち、そして新井一の右腕、故・後藤千津子所長など、シナリオ・センターにつながる方々に恥じないようにと必死でした。

本書に携わってくださったみなさん、そして1歳に満たない我が子を抱きながら「オタクのあなたにしか書けないでしょ」と、ケツを叩いてくれた妻にも感謝です。

「シナリオの父」×「祖父のオタク」

この掛け算から生まれた本書が、想像力の手引きとして、あなたの手元に置かれますように。

シナリオ・センター　新井一樹

株式会社シナリオ・センター

1970年、「シナリオの父」と呼ばれた新井一が創設。

新井一が体系化させた『シナリオの基礎技術』をもとに、初心者から学べる基礎講座、少人数制ゼミナール、目的別・ジャンル別に学べるアドバンス講座、企業とライターをつなぐ「ライターズバンク」、社会課題を解決する「一億人のシナリオ。」を運営。

ジェームス三木さん、内館牧子さん、岡田惠和さん、森下佳子さんなどの脚本家、鈴木光司さん、柚木麻子さん、原田ひ香さんなどの小説家をはじめ、プロ作家700名以上を輩出。連続ドラマの約7割を出身の脚本家が執筆。シナリオコンクールの9割近くを受講生が受賞。

創作を志す人々を支援する「日本中の人にシナリオを書いてもらいたい。」が企業理念。

https://www.scenario.co.jp/

新井 一樹（あらい かずき）
1980年生まれ。東京都出身。日本大学大学院芸術学研究科修了。芸術学修士。祖父は、シナリオ・センター創設者の新井一。同社にて、シナリオライター・脚本家、小説家などを養成する講座の改善、映画やテレビドラマ、ゲームなどの制作会社にて、プロデューサーやディレクター向けの研修開発と講師を担当。
2010年より、想像力と表現力の欠如で起きる社会課題を解決するプロジェクト「一億人のシナリオ。」を統括。小学校から企業など約200団体、10,000名以上に講座や研修を実施。
シナリオ・センター取締役副社長。

プロ作家《さっか》・脚本家《きゃくほんか》たちが使《つか》っている
シナリオ・センター式《しき》　物語《ものがたり》のつくり方《かた》

2023年 8月 1日　初版発行
2024年10月 1日　第7刷発行

著　者　新井一樹 ©K.Arai 2023
発行者　杉本淳一

発行所　株式会社日本実業出版社　東京都新宿区市谷本村町3−29 〒162−0845
編集部　☎03-3268-5651
営業部　☎03-3268-5161　振　替　00170−1−25349
https://www.njg.co.jp/

印刷／堀内印刷　製本／若林製本

ISBN 978-4-534-06029-7　Printed in JAPAN